Premiers pas en
CSS et HTML

Collection « Accès Libre »
Pour que l'informatique soit un outil, pas un ennemi !

PGP/GPG *Assurer la confidentialité de ses mails et fichiers*
M. Lucas, adapté par D. Garance
N°12001-x, 2006, 220 pages.

Monter son serveur de mails sous Linux
M. Bäck et al., adapté par P. Tonnerre
N°11931, 2006, 360 pages.

Réussir un site web d'association avec des outils libres !
A.-L. Quatravaux et D. Quatravaux.
N°12000, 2006, 348 p., à paraître.

Réussir un projet de site Web, *4ᵉ édition.*
N. Chu.
N°11974, 2006, 230 pages.

Gimp 2 efficace.
C. Gemy.
N°11666, 2005, 360 p. avec CD-Rom.

Débuter sous Linux avec Mandriva.
S. Blondeel, D. Cartron, J. Risi.
N°11689, 2006, 530 p. avec CD-Rom.

Ubuntu. *La distribution Linux facile à utiliser.*
L. Dricot et al.
N°11608, 2006, 340 p. avec CD-Rom.

OpenOffice.org 2 efficace.
S. Gautier, C. Hardy, F. Labbe, M. Pinquier.
N°11638, 2006, 420 p. avec CD-Rom.

Home cinéma et musique sur un PC Linux.
V. Fabre.
N°11402, 2004, 200 p.

Collection « Poche Accès Libre »

Premiers pas en CSS et HTML *Guide pour les débutants*
F. Draillard
N°12011, 2006, 232 pages.

Mozilla Thunderbird. *Le mail sûr et sans spam.*
D. Garance, A.-L. et D. Quatravaux.
N°11609, 2005, 320 p., avec CD-Rom.

Firefox. *Un navigateur web sûr et rapide.*
T. Trubacz, préface de T. Nitot.
N°11604, 2005, 250 p.

SPIP 1.8.
M.-M. Maudet, A.-L. et D. Quatravaux.
N°11605, 2005, 376 p.

Gimp 2.2. *Débuter en retouche photo et graphisme libre.*
D. Robert.
N°11670, 2006, 296 p.

OpenOffice.org 2 Calc.
S. Gautier, avec la contribution de J.-M. Thomas.
N°11667, 2006, 220 p.

OpenOffice.org 2 Writer.
S. Gautier, avec la contribution de G. Veyssiere.
N°11668, 2005, 248 p.

Collection « Connectez-moi ! »
Partage et publication... Quel mode d'emploi pour ces nouveaux usages de l'Internet ?

Wikipédia. *Comprendre et participer.*
S. Blondeel.
N°11941, 2006, 168 p.

Peer-to-peer. *Comprendre et utiliser.*
F. Le Fessant.
N°11731, 2006, 168 p.

Les podcasts. *Écouter, s'abonner et créer.*
F. Dumesnil.
N°11724, 2006, 168 p.

Créer son blog en 5 minutes.
C. Bechet.
N°11730, 2006, 132 p.

... et chez le même éditeur

Mémento Firefox et Thunderbird. – M. Grey. – *N°11780, 2006, 14 p.*
CSS 2 : *pratique du design web.* – R. Goetter. – *N°11570, 2005, 324 p.*
Design web : *utiliser les standards.* – J. Zeldman. – *N°11548, 2005, 440 p.*
XUL. – J. Protzenko, B. Picaud. – *N°11675, 2005, 320 p.*
SPIP 1.8. – V. Caron, Y. Forgerit et al. – *N°11428, 2005, 450 p.*
Debian GNU/Linux, *2ᵉ édition.* – R. Hertzog. – *N°11639, 2005, environ 320 p.*
Sécuriser un réseau Linux, *2ᵉ édition.* – B. Boutherin, B. Delaunay. – *N°11445, 2004, 200 p.*
BSD, *2ᵉ édition.* – E. Dreyfus. – *N°11463, 2004, 300 pages.*

Francis **Draillard**

Premiers pas en

CSS et
HTML

EYROLLES

ÉDITIONS EYROLLES
61, bd Saint-Germain
75240 Paris Cedex 05
www.editions-eyrolles.com

© Groupe Eyrolles, 2006, ISBN : 2-212-12011-7

Avant-propos

Des pages web ? Oui, mais avec du style ! Si les pages que nous concevons ont belle allure, c'est bien ; mais qu'y a-t-il derrière, comment sont codées ces magnifiques pages ?

Sera-t-il facile de changer la charte graphique du site ? Ou de modifier la structure d'une page ? Sera-t-il possible de créer de nouvelles pages en réutilisant le travail de mise en forme déjà effectué ?

Bref, à quoi sert d'avoir une voiture rutilante, avec toit ouvrant, jantes en alliage, rétroviseurs électriques et tout le tralala, s'il faut démonter le moteur pour faire la vidange ? C'est une comparaison exagérée, certes, mais qui a le mérite de poser clairement le problème.

Vous avez donc compris qu'au-delà du résultat affiché d'un site web, il faut penser à sa maintenance : rectifications, mises à jour, changements de mise en page doivent pouvoir s'effectuer facilement. Alors, existe-t-il une technique pour améliorer les pages HTML classiques, souvent pleines à craquer d'attributs de mise en forme et de tableaux pour obtenir du côte à côte ? Bien sûr ! Et vous avez de la chance, c'est justement l'objet de l'ouvrage qui est entre vos mains !

Une méthode moderne, pour créer des sites web de bonne qualité et faciles à maintenir, consiste à utiliser les feuilles de style ou CSS, Cascading Style Sheets.

Les feuilles de style sont utilisées depuis longtemps dans les traitements de texte. Elles facilitent la mise en forme, tout en rendant plus homogènes les différentes pages d'un long document. En ce qui concerne les pages web, les premières normes pour les feuilles de style, CSS 1, ont été publiées fin 1996, suivies des normes CSS 2 en 1998.

Il a fallu que les logiciels de navigation web les prennent en compte pour que les concepteurs puissent enfin les utiliser, d'où un certain « retard à l'allumage » qui se retrouvera de la même façon avec les normes CSS 3 en préparation.

Les CSS 2 sont disponibles, profitons-en ! Et découvrons ensemble dans cet ouvrage tout le bénéfice qu'elles nous apportent : c'est une façon différente d'appréhender la conception des pages web. Il suffit de s'y aventurer pour être conquis... Bonne lecture !

Structure de l'ouvrage

Le **premier chapitre** est une introduction qui nous présente le principe général des feuilles de style et d'une bonne écriture XHTML/CSS.

Le **deuxième chapitre** donne quelques rappels sur l'écriture du XHTML, des types de balises et de leur hiérarchie. Il fournit les quelques mots de vocabulaire qui seront utilisés pour expliquer la conception d'une feuille de style.

Au **troisième chapitre** apparaissent les feuilles de style. Sont montrés par l'exemple de quelle façon et à quel endroit les écrire, quelles unités de mesure utiliser.

Les propriétés CSS sont détaillées dans les **quatrième** et **cinquième chapitres**, qui expliquent respectivement les propriétés de mise en forme et celles liées au positionnement des éléments dans la page. Des exemples illustrent chaque propriété, dont toutes les valeurs possibles sont détaillées.

Le **sixième chapitre** nous parle des autres médias pour lesquels des propriétés de styles existent et le **septième chapitre** présente des astuces très pratiques, pour remplacer quelques propriétés mal interprétées par Internet Explorer 6.

En **annexes,** se trouvent les noms et codes des couleurs de base, ainsi qu'un tableau de synthèse sur le comportement des principaux navigateurs. Suivent un index des propriétés, en guise de formulaire, puis une liste de références bibliographiques et de sites web utiles.

Les fichiers qui servent d'exemples dans le livre peuvent être téléchargés à l'adresse http://www.aeditia.fr/livre.

Crédits des photographies et illustrations

Tous droits réservés pour toutes les photographies et illustrations publiées dans cet ouvrage.

Les crédits qui ne figurent pas dans les légendes des illustrations sont mentionnés ci-après.

Pages de garde des chapitres 1 et 5 : extraits du site ZenGarden http://www.csszengarden.com/tr/francais/, respectivement les versions « Tranquille » par Dave Shea (http://www.mezzoblue.com) et « Like the Sea » par Lars Daum (http://www.redrotate.de/).

Figures 1-3, 3-4 à 3-11, 6-2, B-1, pages de garde des chapitres 3, 4 et 6, ainsi que des annexes A, C et D : copyright 2006 Francis Draillard, Micro Application et ses concédants. Tous droits réservés.

Figures 1-1, 1-2, 2-1, 2-2, 2-5 à 2-9, 3-1, 3-2, 3-12 à 3-14, 4-1 à 4-15, 5-1 à 5-16, 6-1, 7-2 à 7-4, A-1, B-2, B-3, page de garde de l'annexe B : Francis Draillard.

Page de garde du chapitre 2 : dessin d'Alice Draillard.

Figures 5-9, 5-12 à 5-14, 7-2 et 7-4 : utilisation d'illustrations provenant du site http://www.wikipedia.fr

Figure 3-3 : extraite du site http://www.wikipedia.fr, photo d'Éric Pouhier - Décembre 2005.

Page de garde du chapitre 7 et figure 7-1 : extraits du site de Dean Edwards, concepteur du projet IE 7 : http://dean.edwards.name/IE7.

Remerciements

Je tiens à remercier Muriel Shan Sei Fan, éditrice informatique des Éditions Eyrolles. C'est grâce à elle que la publication de ce livre a été possible et ses conseils m'ont été précieux pour la rédaction finale. Merci aussi à Dimitri Robert : auteur d'un excellent livre sur le logiciel Gimp, dans cette même collection, il m'a aiguillé vers Muriel pour lui proposer mon manuscrit.

Merci encore à Eliza Gapenne et Anne Bougnoux pour la relecture de ce livre, à Gaël Thomas et Jean-Marie Thomas pour sa mise en page.

Je remercie beaucoup pour leur contribution :

- Alain Beyrand (http://www.pressibus.org) : son classement des couleurs est très intéressant. Il est publié en annexe (mais en moins bien, car sans les couleurs !)
- David Hammond (http://nanobox.chipx86.com) : il est l'auteur d'un excellent travail sur le comportement des différents navigateurs web, dont la synthèse est donnée en annexe.
- Les auteurs du site http://www.w3.org, source extrêmement riche de renseignements qui explique dans tous leurs détails les normes du World Wide Web Consortium (W3C), ainsi que Jean-Jacques Solari, qui a traduit en français bon nombre de ces documents sur le site http://www.yoyodesign.org. Trois figures sont extraites de ce site, ainsi que les tableaux des propriétés CSS, qui se trouvent en annexe.

Je suis reconnaissant également à mes étudiants de l'EIGSI et de Sup de Co La Rochelle. Qu'ils me pardonnent, je me suis servi de leurs erreurs et de leurs difficultés pour rendre ce livre plus clair et plus pédagogique.

Enfin, c'est de tout mon cœur que je remercie mon épouse et ma fille, pour leur soutien et leur participation.

Francis Draillard

contact@aeditia.fr

http://www.aeditia.fr

Table des matières

chapitre

1

Jardin Zen CSS

La beauté de la conception CSS

Une demonstration de ce qu'on peut accomplir lorsqu'on utilise les CSS pour la conception web. Sélectionnez n'importe quelle feuille de style listée pour charger le résultat sur cette page.

Téléchargez les fichiers d'exemple html et css

Le chemin vers l'édification

Les reliques passées des sélecteurs spécifique aux navigateurs, des DOMs incompatibles, et du manque de support des CSS encombrent un long chemin sombre et morne.

Aujourd'hui, nous devons nous clarifier l'esprit et nous débarasser des pratiques passées. La révélation de la véritable nature du Web est maintenant possible, grâce aux efforts infatigables des gens du W3C, du WaSP et des créateurs des principaux navigateurs.

Le Jardin Zen css vous invite à vous relaxer et à méditer sur les leçons importantes des maîtres. Commencez a voir clairement. Apprener à utiliser ces techniques (bientôt consacrées par l'usage) de manière neuve et revigorante. Ne faites qu'Un avec le Web.

Alors, de quoi s'agit–il?

Il y a clairement un besoin pour les graphistes de prendre les CSS au sérieux. Le Jardin Zen vise a exciter, inspirer, et encourager la participation. Pour commencer, voyez quelques concepts choisis dans la liste. Cliquez sur n'importe lequel pour le charger sur cette page. Le code HTML demeure le même, et seule la feuille de style extérieure change. Oui, vraiment.

Les CSS permettent un contrôle complet et total du style d'un document hypertexte. La seule manière de vraiment démontrer cela d'une manière qui excite les gens est de demontrer ce qui peut vraiment être, une fois que les rennes ont étés placées dans les mains de ceux capables de créer la beauté basée sur la forme. Jusqu'à maintenant, les exemples de trouvailles et montages intéressants ont étés fournis par des programmeurs et des structuralistes. Les concepteurs ont encore à faire leurs preuves. Cela doit changer.

chapitres une conception

Dazzling Beauty by Deny Sri Supriyono

Dark Rose by Rose Fu

Leggo My Ego by Jun Tan

LoGoZee by Viallon Pierre Antoine

The Diary by Alexander Shabuniewicz

Lonely Flower by Mitja Ribic

Mozart by Andrew Brundle

Organica Creativa by Eduardo Cesario

archives

Conceptions suivantes

Voir toutes les conceptions

Introduction aux feuilles de style

Quels avantages nous apportent les feuilles de style ? Comment se partagent-elles le « travail » de mise en page avec le code HTML ?

Cette introduction nous emmène à la découverte des feuilles de style. Ce sera aussi l'occasion, à partir d'exemples, de poser les bases d'une bonne écriture des pages web.

Signification de CSS

CSS signifie *Cascading Style Sheets*, ce qui se traduit en français par *feuilles de style en cascade*.

Le terme « en cascade » indique qu'il est possible de faire appel à plusieurs feuilles de style.

Lorsqu'un style existant est redéfini, c'est la dernière définition qui est prise en compte.

Principes de base pour une page web

Voici les principales qualités demandées à une page web : qu'elle soit claire dans sa conception, accessible à tous et que son esthétique s'accorde bien avec son contenu.

Choix sensé des balises HTML

En HTML, chaque élément doit être porteur de sens. Par exemple :

- Pour un titre de page, utiliser `<h1>` (titre de niveau 1) plutôt que `<p>` (paragraphe quelconque).
- Pour un menu (liste de liens), utiliser `<ul>` (liste sans numérotation).

Utiliser des balises qui donnent du sens présente plusieurs intérêts :

- davantage de clarté pour le développeur et la maintenance future du site ;
- meilleure indexation par les moteurs de recherche ;
- meilleure compréhension par les lecteurs braille.

Adaptation aux navigateurs

Il s'agit de couvrir, autant que possible, une large gamme de navigateurs :
- différents logiciels du marché ;
- divers systèmes d'exploitation ;
- autres médias que le PC : assistant personnel ou PDA, téléphone mobile...

Les pages web doivent rester lisibles lorsque la feuille de style n'est pas prise en compte :
- lecture en mode texte ;
- lecture vocale ou en braille ;
- anciens navigateurs qui ne reconnaissent pas les styles.

FIGURE 1–1   *Nos pages doivent pouvoir s'afficher dans différents navigateurs.*

Accessibilité

L'accès aux handicapés (visuels, auditifs, moteur, mentaux) doit être facilité :
- Proposez des navigations alternatives lorsque sont utilisés des menus graphiques ou reposant sur des scripts (des applets ou plug-ins sont nécessaires pour Java, Flash...).
- Évitez les structures de pages reposant sur des cadres (frames) ou des tableaux (réservez les tableaux à la présentation de données en lignes ou en colonnes).
- Ne vous basez pas uniquement sur les couleurs, permettez l'augmentation de la taille du texte.

- Proposez des alternatives aux contenus purement visuels (images) ou auditifs, facilitez la lecture des liens hypertextes...

Apparence fonction du thème et du public concerné

Le choix des couleurs et des polices de caractères est fonction du caractère à donner aux pages web, donc de leur thème et du public visé.

Polices de caractères

- Pour le web, utilisez plutôt des polices sans sérif (Arial, Helvetica, Tahoma, Verdana...).
- Réservez aux titres les autres polices et les polices fantaisie.
- N'abusez pas de l'italique : réservez-la à quelques mots ou remarques.
- Évitez les caractères trop petits pour des paragraphes entiers.
- Limitez à deux ou trois le nombre de polices différentes dans une même page.

FIGURE 1-2 *Choisissez des polices lisibles et harmonieuses : ne suivez pas ce mauvais exemple !*

En résumé, quelques sentiments liés aux couleurs

- Couleurs chaudes (jaune, orange, rouge) = chaleur et dynamisme - impulsions
- Couleurs froides (gris, bleu, vert, violet) : fraîcheur et calme - raisonnement (sciences)
- Couleurs vives : action
- Couleurs pastel : poésie, sensibilité
- Gris et blanc : passe-partout

FIGURE 1-3 *Bien choisir les couleurs d'une page*

Homogénéité du site

Les différentes pages d'un site doivent présenter un minimum d'homogénéité entre elles. Elles proposent alors des variations autour d'un graphisme commun.

Il est donc important de définir une « charte graphique » (polices, couleurs, logos...), à partir de laquelle les pages seront construites.

Principes d'une bonne écriture XHTML/CSS : donner du sens au codage

L'essentiel est de séparer le contenu (codé en XHTML) et la mise en forme (feuilles de style CSS). Cette méthode présente plusieurs avantages, notamment la clarté du code et la possibilité de définir des styles communs à plusieurs pages.

Voici quelques exemples de mise en forme à l'aide de balises qui donnent du sens au texte.

Titre de page

Au lieu d'une succession de balises telles que `<b>`, `<big>` ou `<font size="...">`, utilisez une balise `<h1>` :

- dans le code HTML : `<h1>Ici un titre</h1>`
- et dans la feuille de style : `h1 { ...mise en forme...}`

Mise en gras ou en italique

Remplacez les balises `<b>` (gras) par `<strong>` et `<i>` (italique) par `<em>`.

L'affichage est identique, mais ces balises indiquent une mise en relief des mots.

Liste de liens hypertextes (menu)

Évitez les balises `<p>` et préférez-leur une structure de liste avec la balise `<ul>` et une balise `<li>` pour chaque ligne.

Notez que, dans ce cas, il est préférable de placer cette liste de liens au début de la page, ce qui facilitera sa compréhension par les navigateurs en mode texte.

ATTENTION **Balises périmées**

Certaines balises HTML, comme `<i>` (italique) ou `<b>` (gras) sont obsolètes, car remplacées par des styles. Leur emploi est donc déconseillé.

Intérêt des feuilles de style

L'utilisation des feuilles de style n'a pas pour seul but de répondre aux normes et de faire plaisir au W3C (consortium qui définit les règles de codage des pages web : www.w3.org). Un bénéfice réel et concret découle de cette façon de travailler.

La dissociation du contenu (HTML) et de la mise en forme (feuille de style) permet :

- de retrouver et corriger plus facilement le texte des pages ;
- d'utiliser une feuille de style externe, commune aux différentes pages d'un site. Il en résulte une meilleure unité graphique entre ces pages et aussi des mises à jour plus simples par la suite. Une modification dans la feuille de style externe se répercute d'un seul coup sur toutes les pages du site.

La mise en page est beaucoup plus légère, car elle ne nécessite plus l'utilisation de tableaux. Les CSS permettent en effet de placer les différentes partie d'une page web :

- soit de façon rigoureuse : blocs fixes dont les coordonnées sont choisies ;
- soit d'une manière souple : blocs flottants qui s'alignent les uns par rapport aux autres.

FIGURE 1-4   *Une page web est constituée de blocs contenant du texte et des images (extrait de la page http://lea-linux.org/cached/index/Intro-index.html - site francophone d'entraide pour les utilisateurs de Linux).*

Structure du XHTML

Commençons par quelques rappels
sur les balises XHTML, la structure
de base d'une page web.
Puis nous donnerons quelques
précisions de vocabulaire, essentielles
pour comprendre les feuilles de style.

Dans le contenu d'une page web, chaque balise XHTML ou HTML représente un élément. Ces éléments sont toujours inclus à l'intérieur d'un autre, ne serait-ce que dans l'élément `<body>`. La hiérarchie entre ces éléments est importante à comprendre pour bien utiliser les feuilles de style.

Rappels sur l'écriture des balises XHTML

Le HTML, devenu maintenant XHTML, contient les éléments à afficher sous forme de textes entourés de différentes balises qui les caractérisent.

Exemple d'élément (ici un titre de niveau 1) :

```
<h1>Premier chapitre</h1>
```

Normes existantes

Les versions 2.0, 3.2, puis 4.0 du HTML ont été remplacées par le XHTML version 1.0, puis 1.1. Le XHTML 2 est en cours de conception.

Le XHTML est une évolution du HTML dans laquelle la syntaxe est plus rigide, mais plus rigoureuse : cela simplifie beaucoup la maintenance des pages web.

Les feuilles de style CSS 2 (Cascading Style Sheets) complètent cette norme.

Règles d'écriture des balises

Les normes XHTML nous demandent d'écrire les balises de la façon suivante :

- Les balises s'écrivent en minuscules.
- Chaque balise doit être refermée (sauf, en HTML, les balises seules comme le saut de ligne).
- Les attributs des balises sont à écrire entre guillemets (ou entre cotes, c'est-à-dire entre apostrophes). Exemple :

```
<img src="logo.gif" />
```

- S'il y a imbrication de balises, l'ordre doit être respecté pour leur fermeture. Exemple :

```
<h1>...<em>...</em></h1>
```

Fermeture des balises

Notez qu'en XHTML, **toutes** les balises doivent être fermées.

La barre de fermeture est intégrée aux balises seules, qui n'entourent pas de contenu :

- `<br />` au lieu de `<br>`
- `<hr />` au lieu de `<hr>`
- `<hr id="intro" />` au lieu de `<hr id="intro">`
- `<img id="logo.gif" />` au lieu de `<img id="logo.gif">`

Principales balises XHTML

Le XHTML n'a repris qu'une partie des balises HTML, les autres étant remplacées par des propriétés à écrire dans la feuille de style.

Structure et balises d'en-tête

Structure : `html`, `head`, `body`

En-tête : `title`, `meta`, `link`, `base`

Structure générale d'un document XHTML

```
<!DOCTYPE ... >
<html>
  <head>
     <title>Titre</title>
     ...
  </head>
  <body>
     ...contenu de la page...
  </body>
</html>
```

Principales balises de texte

`em` : *emphasis* = accent ou insistance (mis en italique)

`strong` : *stronger emphasis* = accent plus fort (mis en gras)

`h1, h2, h3, h4, h5, h6` : *header* = niveaux de titre 1 à 6

`p` : paragraphe

`br` : *break* = saut de ligne

`div` : divers = bloc de paragraphes liés pour leur mise en forme

`span` : portée = ensemble de mots ayant une mise en forme commune

Autres balises de texte

`q` : quote = pour une courte citation (mis entre guillemets, sauf pour Internet Explorer 6 et 7)

`address` : paragraphe constitué par une adresse (nouveau paragraphe, mis en italique)

`cite` : citation au cours d'une phrase (en italique)

`dfn` : définition d'un mot, en cours de phrase (en italique)

`var` : nom d'une variable (en italique)

`code` : extrait de code informatique (police Courrier)

`samp` : exemple de code informatique (police Courrier)

`kbd` : saisie au clavier (police Courrier)

`pre` : préformaté (police Courrier, espaces et sauts de lignes affichés tels qu'ils sont notés)

`abbr` : abréviation (pas de mise en forme)

`acronym` : acronyme (pas de mise en forme)

Liens hypertextes

`a` : *anchor* = ancre (lien hypertexte)

Listes

`ol` : *ordered list* = liste numérotée

`ul` : *unordered list* = liste sans numéros

`li` : *list item* = élément de liste (qu'elle soit numérotée ou non)

`dl` : *definition list* = liste de définitions

`dt` : *definition list term* = un terme de la liste de définitions

`dd` : *definition list definition* = une définition de la liste de définitions (associée à un terme)

Formulaires

`form` : formulaire

`textarea` : zone de texte (pour la saisie) à plusieurs lignes

`input` : entrée (zone de texte à une seule ligne, case à cocher, case
d'option, bouton d'action)

`select` : liste de choix

`option` : élément de liste de choix

`optgroup` : regroupement d'éléments de liste de choix

`label` : étiquette pour liste de choix

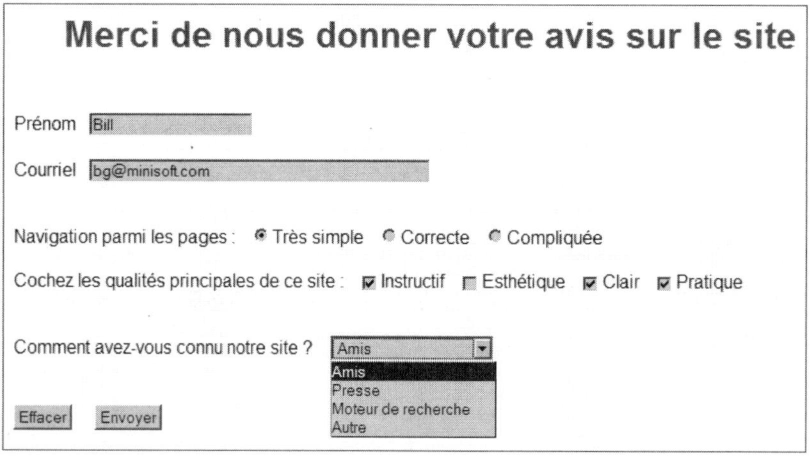

FIGURE 2–1 *Exemple de formulaire*

Tableaux

`table` : tableau

`tr` : *table row* = ligne de tableau

`td` : *table data* = donnée d'une cellule (son contenu)

`th` : *table header* = en-tête de tableau (centré et mis en gras)

`caption` : titre du tableau

FIGURE 2-2   *Structure d'un tableau en XHTML*

Images et objets

`img` : image

`object` : objet

`param` : paramètre

Remarques

L'espace insécable (qui n'est jamais coupé par une fin de ligne) s'écrit ` `

L'attribut `name` du HTML est remplacé par `id` en XHTML, sauf pour les noms de contrôles dans les formulaires.

Les commentaires peuvent s'écrire sur une ou plusieurs lignes, entre les signes `<!--` et `-->`.

Déclarations de base d'une page web

Les balises des quatre premières lignes ont des fonctions bien précises. Que les novices ne soient pas effrayés par leur longueur et leur côté très « technique » : il suffit de comprendre leur utilité, de les choisir puis de les copier-coller !

Exemple de déclarations dans un document XHTML

```
<!DOCTYPE html PUBLIC "-//W3C//DTD XHTML 1.0 Transitional//EN"
    "http://www.w3.org/TR/xhtml1/DTD/xhtml1-transitional.dtd" >
<html>
  <head>
    <meta http-equiv="Content-Type"
      content="text/html; charset=utf-8">
...
  </head>
  <body>
      ...contenu de la page...
  </body>
</html>
```

Première ligne de chaque page web

Elle indique la version de HTML ou XHTML utilisée.

Cette déclaration est importante pour une bonne interprétation du code.

HTML 4.01

```
<!DOCTYPE html PUBLIC "-//W3C//DTD HTML 4.01 Transitional//EN"
    "http://www.w3.org/TR/html4/loose.dtd">
```

XHTML 1.0 Transitional

```
<!DOCTYPE html PUBLIC "-//W3C//DTD XHTML 1.0 Transitional//EN"
    "http://www.w3.org/TR/xhtml1/DTD/xhtml1-transitional.dtd">
```

XHTML 1.0 strict (sans utilisation de balises obsolètes)

```
<!DOCTYPE html PUBLIC "-//W3C//DTD XHTML 1.0 Strict//EN"
    "http://www.w3.org/TR/xhtml1/DTD/xhtml1-strict.dtd">
```

> À NOTER **Strict ou transitional ?**
>
> Le XHTML strict respecte exactement les normes XHTML.
> En XHTML transitional, il est possible d'utiliser des balises ou attributs HTML « obsolètes » parce qu'abandonnés en XHTML.

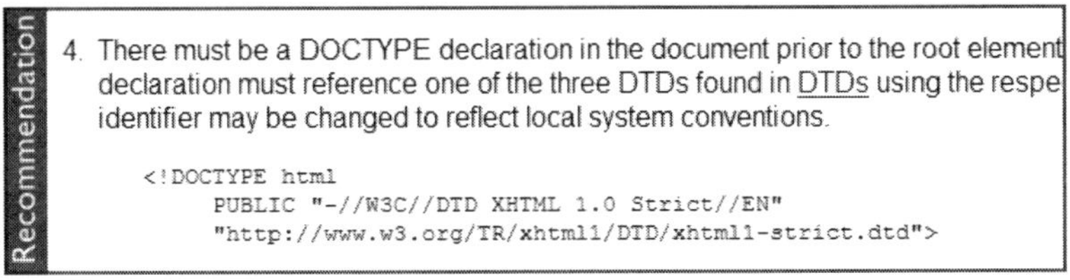

Recommendation

4. There must be a DOCTYPE declaration in the document prior to the root element declaration must reference one of the three DTDs found in DTDs using the respe identifier may be changed to reflect local system conventions.

```
<!DOCTYPE html
    PUBLIC "-//W3C//DTD XHTML 1.0 Strict//EN"
    "http://www.w3.org/TR/xhtml1/DTD/xhtml1-strict.dtd">
```

FIGURE 2-3   *Le site http://www.w3.org fournit les DOCTYPE officiels.*

Deuxième et dernière lignes de chaque page web

Elles contiennent les balises de début et de fin du code HTML : `<html>` et `</html>`

Dans cette balise `<html>`, il est possible d'indiquer la langue utilisée : `<html lang="fr">`

Quatrième ligne de chaque page web

C'est la première ligne de l'en-tête, donc placée juste après `<head>`.

Elle contient la norme d'encodage utilisée pour l'enregistrement des pages web, pour indiquer au navigateur quelle table de caractères il doit prendre en compte.

Exemple pour un codage en utf-8

```
<meta http-equiv="content-type"
            content="text/html; charset=utf-8" />
```

> ATTENTION **Déclaration d'un type de codage**
>
> - Le fichier HTML doit être enregistré avec le **même type de codage** que celui déclaré dans cette ligne (avec *PsPad* : choix dans le menu *Format*, avant d'enregistrer ; avec le *bloc-notes* de Windows, choix lors de l'enregistrement à l'aide de la liste déroulante *Codage*).
> - Les guillemets n'entourent pas seulement le type de codage (ici `utf-8`), mais l'expression entière qui suit le mot `content` (ici, `"text/html; charset=utf-8"`).

Principaux types d'encodage

- utf-8 (`charset=utf-8`) : codage universel Unicode (sur un ou deux octets), à privilégier car c'est la solution d'avenir.
- iso-8859-1 ou Latin-1 (`charset=iso-8859-1`) : codage occidental classique, souvent utilisé.
- iso-8859-15 ou Latin-9 (`charset=iso-8859-15`) : codage occidental iso-8859-1 plus quelques caractères, dont €, Œ, œ, et Ÿ.
- Windows-1252 ou ANSI (`charset=windows-1252`) : codage provenant du iso-8859-1, comprenant également €, Œ, œ, et Ÿ.

Autres balises d'en-tête

La balise `<base ... />` permet de définir le dossier de référence pour les liens hypertextes, les images ou autres fichiers fournis dans le code.

> EXEMPLE **Utilisation de la balise `<base ...>`**
>
> Si l'en-tête contient la balise :
> `<base href="http://monsite.com/fichiers/" />`
> alors la balise `<img src="images/logo.png" alt="logo">` (placée dans le corps de la page) affichera l'image `logo.png` située dans le dossier `http://monsite.com/fichiers/images/`.

La balise `<title>`Titre de la page`</title>` indique le texte qui s'affichera dans la barre de titre du navigateur.

> ATTENTION **Ne pas confondre titre et nom du fichier**
>
> Le contenu de cette balise `title` n'a rien à voir avec le nom du fichier, ce dernier étant défini lors de l'enregistrement de la page.
> En revanche, ce sera le nom proposé par défaut à l'internaute qui voudra mémoriser l'adresse de cette page parmi les *Marque-pages* (Firefox) ou les *Favoris* (Internet Explorer).

Les balises `<meta ... />`, quant à elles, fournissent d'autres types d'informations : mots-clés, résumé de la page, nom de son auteur...

Validation du code HTML

Pour vérifier si le code d'une page est valide, suivant la norme indiquée dans la balise `<!DOCTYPE ...>`, il faut mettre cette page en ligne et indiquer son URL au validateur du W3C, à l'adresse : http://validator.w3.org.

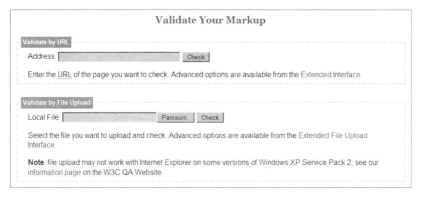

FIGURE 2-4 *À l'adresse http://validator.w3.org, le W3C propose la validation du code XHTML ou HTML.*

À NOTER **La validation n'est qu'une indication**

Le validateur vérifie uniquement la *syntaxe* de la page (en quelque sorte, sa « grammaire »), mais pas la logique dans l'emploi des balises, à savoir si le sens associé à telle balise correspond bien au texte qu'elle encadre.

Différents types d'éléments

Le XHTML définit deux types d'éléments : ceux qui sont en ligne, et les autres de type bloc.

Il sera utile de savoir de quel type est une balise, car certaines propriétés (notamment celles qui définissent la position d'un élément) ne s'appliquent qu'aux éléments de type *bloc*.

Éléments en ligne

Ils s'écrivent les uns à la suite des autres, dans le texte de la page.

Exemples d'éléments en ligne

```
<strong>...</strong>   <!-- mise en relief -->
<em>....</em> <!-- emphase -->
```

Il existe deux types d'éléments en ligne :

- des éléments « **remplacés** » dont les dimensions (largeur et hauteur) peuvent être définies : images, zones de saisie d'un formulaire...
- des éléments « **non remplacés** » dont la taille est fonction du contenu : éléments `<strong>`, `<em>`, `<span>`, ancre `<a>`...

Certaines propriétés liées aux blocs peuvent être appliquées aux éléments en ligne de type *remplacés*.

Citons les principaux éléments XHTML de type « en ligne » :

- élément `<span>` (qui sert à délimiter une partie de texte ayant une mise en forme commune) ;
- ancre `<a>` ;
- image `<img>` ;

- texte mis en évidence `<strong>` (en gras) ou en emphase `<em>` (italique) ;
- extrait de citation `<q>` (apparaît entre guillemets) et `<cite>` (italique) ;
- extrait de programme `<code>` ou de texte à entrer au clavier (police de type Courier) ;
- exemple `<samp>` (police Courier), variable `<var>` (italique) ;
- abréviation `<abbr>` et acronyme `<acronym>` ;
- texte inséré `<ins>` (apparaît souligné) et texte supprimé `<del>` (apparaît barré).

Ces éléments en ligne peuvent être imbriqués, mais ils ne peuvent pas contenir d'élément de type bloc.

Éléments de type bloc

Ils se placent les uns sous les autres. L'utilisation des styles permet de les positionner de façon précise.

Exemples d'éléments de type bloc

```
<h1>....</h1> <!-- titre de niveau 1 -->
<p>...</p>   <!-- paragraphe -->
```

Des blocs peuvent contenir d'autres blocs et bien sûr des éléments en ligne.

Exceptions : `<p>` et `<h1>`, `<h2>`...`<h6>` ne peuvent pas inclure d'autres blocs.

À NOTER **Marges par défaut**
Tous les blocs (sauf `<div>`) possèdent des marges intérieures (`padding`) et extérieures (`margin`) par défaut, qu'il faut préciser ou mettre à zéro dans la feuille de style.

Voici les principaux éléments HTML de type « bloc » :

- élément `<div>`, qui sert de boîte « conteneur » et dans lequel seront placés d'autres blocs ;

- titres `<h1>` à `<h6>` ;
- paragraphe `<p>` ;
- liste et élément de liste `<ul>`, `<ol>` et `<li>`, liste de définition `<dl>`, `<dd>` ;
- citation `<blockquote>` (apparaît en retrait) ;
- texte préformaté `<pre>` (affichage de tous les espaces et retours à la ligne) ;
- adresse `<address>` (s'affiche en italique, avec espacement vertical).

Hiérarchie des éléments

Les éléments qui composent une page HTML, c'est-à-dire les balises avec leur contenu, sont juxtaposés ou imbriqués. Il en découle une hiérarchie, qui sera à prendre en compte dans le choix des propriétés de style : si un style est hérité, il se transmet aux blocs imbriqués.

Appellation hiérarchique des blocs imbriqués ou juxtaposés

Les blocs qui constituent une page forment en quelque sorte une famille :
- Lorsque des blocs sont contenus dans un autre bloc, ils sont les enfants de ce dernier.
- Entre eux, ces blocs imbriqués sont des frères.
- Le bloc conteneur est leur père.
- Son premier fils est le premier des blocs imbriqués qu'il contient.

Exemple de code contenant des blocs imbriqués et juxtaposés

Le code suivant s'affiche comme le montre la figure 2-5 :

```
<body id="ferme">
  <div id="basse-cour">A l'ombre du noisetier...
    <p id="poule">Cot ! Cot ! Cot!</p>
    <p id="canard">Coin ! Coin ! Coin !</p>
    <p id="chien">Ouah ! Ouah !
       <em id="puce">une puce pique le chien</em>
    </p>
  </div>
  <div id="enclos">Dans une prairie verte...
    <p id="vache">Meuh ! Meuh !</p>
    <p id="cochon">Groin ! Groin !</p>
  </div>
</body>
```

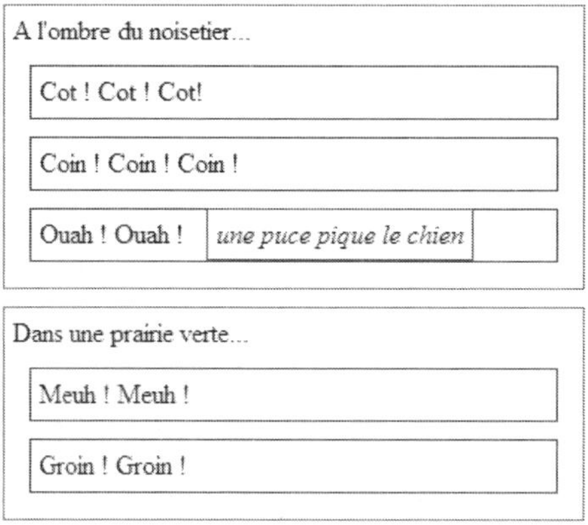

FIGURE 2-5 *Exemple de blocs imbriqués et juxtaposés*

En bon français, l'histoire se raconte ainsi :

La ferme contient la basse-cour et l'enclos.

La basse-cour contient la poule, le canard et le chien.

Le chien « contient » la puce.

L'enclos contient la vache et le cochon.

Les éléments HTML de cet exemple sont imbriqués de la même façon, en suivant la logique de cette histoire.

FIGURE 2-6   *À la ferme...*

Termes hiérarchiques utilisés en XHTML-CSS

- Le bloc `<body id="ferme">` est l'**ancêtre** commun à tous les autres blocs.
- Il est le **père** de `<div id="basse-cour">` et de `<div id="enclos">` qui sont ses deux *descendants directs*, appelés ses **fils** ou ses **enfants**. Ces deux balises sont donc **frères**.
- Le **premier fils** de l'élément `<body id="ferme">` est `<div id="basse-cour">`.

- Le bloc `<div id="basse-cour">` a trois fils (paragraphes *poule, canard, chien*, qui sont frères entre eux) et un petit-fils (le texte *puce*, qui est le fils du paragraphe *chien*).
- Le bloc `<div id="enclos">` a deux fils (paragraphes *vache* et *cochon*).

Héritage des propriétés de style

Certaines des propriétés définies dans les feuilles de style sont héritées, c'est-à-dire transmises aux éléments imbriqués, d'autres non.

Si une propriété héritée est appliquée à un élément, tous les éléments qu'il contient prennent cette même propriété.

En revanche, si une propriété non héritée est appliquée à un élément, elle ne se retrouvera pas sur les éléments imbriqués.

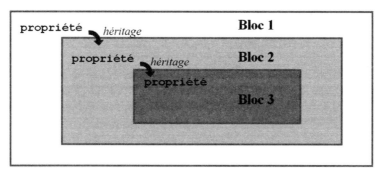

FIGURE 2-7 *Principe de l'héritage d'une propriété, illustré ici pour des blocs imbriqués*

Reprenons l'exemple de la ferme pour illustrer deux propriétés.

La propriété `font-family` (police d'écriture) est **héritée** :

- Supposons, par exemple, que la propriété `font-family: Arial;` soit appliquée aux blocs `<div>` seulement.
- Grâce à l'héritage de cette propriété et comme le montre la figure 2-8, tous leurs descendants directs ou indirects seront également écrits en Arial (ces descendants sont les blocs `<p>` qui sont leurs enfants et l'élément `<em>` qui est un petit-enfant).

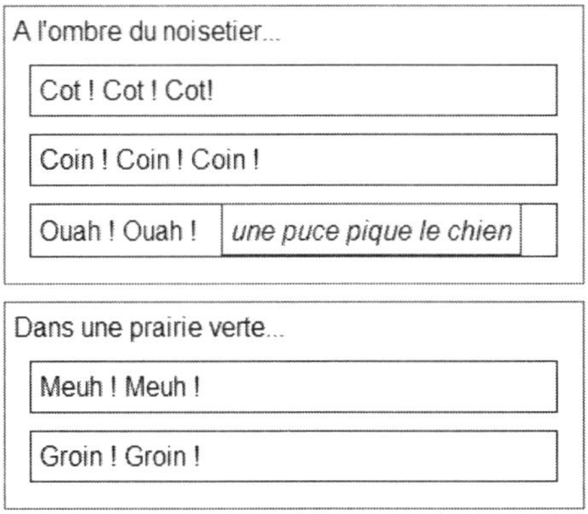

FIGURE 2-8 *La propriété* font-family *(police d'écriture) est héritée.*

La propriété border (type de bordure) n'est **pas** héritée :

- La figure 2-9 donne le résultat affiché lorsqu'une bordure est attribuée aux seuls blocs <div> (basse-cour et enclos).
- Cette propriété n'étant pas héritée, leurs descendants ne seront pas encadrés, car ils conserveront la valeur par défaut « aucune bordure ».

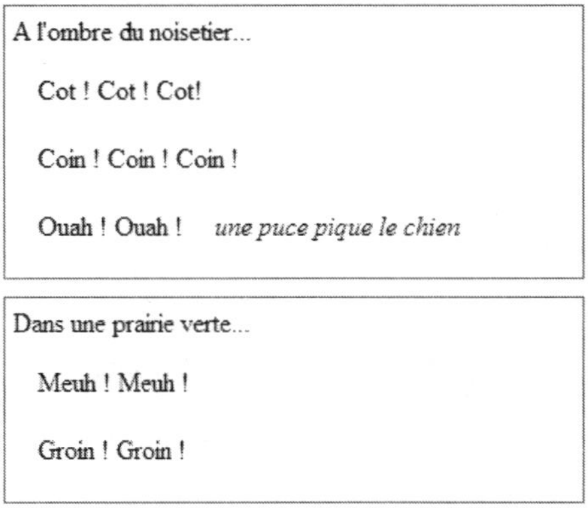

FIGURE 2-9 *La propriété* border *(type de bordure) n'est pas héritée.*

Écriture des feuilles de style

Comment écrire une règle de style ?
Où et dans quel ordre écrire ces règles ?
De quelle façon attribuer une propriété
à un élément donné de la page web ?

Nous voilà prêts à aborder les feuilles de style proprement dites. Organisons notre démarche, en commençant par nous poser les questions de base : comment, où et dans quel ordre écrire ces définitions qui, une fois réunies, formeront une feuille de style ?

Pour chaque règle de mise en forme, il faudra d'abord définir les éléments de la page web, puis les propriétés à leur attribuer.

Définition d'une règle de style

Voici comment sélectionner un élément de la page et lui attribuer une propriété de mise en forme.

Principe

Une règle de style comprend :

- un **sélecteur** : il s'agit des balises concernées par cette règle ;
- un **bloc de déclarations** : il indique les propriétés à attribuer à ces balises.

Chaque déclaration est du type : `propriété : valeur;`

Exemple de règle de style

La règle de la figure 3-1 indique que les titres de niveau 3 (encadrés par `<h3>...</h3>`) s'afficheront en *italique* et en *Arial* (ou dans une police générique *sans-serif* si la police Arial est absente).

FIGURE 3-1 *Exemple de règle de style*

Cette règle comprend :
- le sélecteur (h3) ;
- deux déclarations, donc deux propriétés à attribuer aux titres de niveau 3 de la page.

> À NOTER **Écriture d'une règle de style**
> - Chaque déclaration se termine par un point-virgule.
> - Une règle peut s'écrire sur plusieurs lignes :
> ```
> h3 {
>     font-style: italic;
>     font-family: Arial, sans-serif;
> }
> ```

Commentaires

Il est utile de commenter abondamment les feuilles de style, pour s'y retrouver plus tard lorsqu'il s'agira d'apporter des modifications. Il suffit de placer les commentaires entre les signes /* et */ :

```
/* Voici un commentaire */
/* Et en voilà un autre,
   mais sur plusieurs lignes */
```

Emplacement des styles

Les règles de style peuvent se trouver :
- dans le code HTML, comme attributs de balises : ce sont des styles en ligne (utilisation déconseillée - voir plus loin) ;
- dans l'en-tête de la page web : feuille de style interne ;
- ou dans un fichier distinct : feuille de style externe, à appeler dans l'en-tête de la page web.

Feuille de style interne

Lorsque les règles de styles sont regroupées dans l'en-tête de la page web, elles constituent une feuille de style interne.

Les styles sont écrits entre les balises <head> et </head>, à l'intérieur d'une balise <style> :

```
<head>
...
<style type="text/css">
<!--
...règles de styles ici...
-->
</style>
...
</head>
```

> À NOTER **Déclaration d'une feuille de style interne**
> - Les styles ainsi déclarés sont de type texte, d'où l'attribut `type="text/css"` dans la balise `<style>`.
> - Les règles de styles sont placées à l'intérieur de balises de commentaires HTML `<!--` et `-->` de façon à être ignorées par les navigateurs qui ne connaissent pas les CSS.

Feuille de style externe

Lorsque des règles de styles sont applicables à plusieurs pages web, il est intéressant de les écrire dans un fichier à part. Cette feuille de style externe est appelée par chacune des pages concernées. Elle garantit l'unité graphique du site et facilite les modifications.

Une feuille de style externe est un fichier d'extension `.css` :

- C'est un fichier texte qui contient l'ensemble des règles définies.
- Il ne contient pas les balises `<style>` ... `</style>`.
- Il n'y a pas non plus les symboles de commentaires `<!--` ... `-->`.

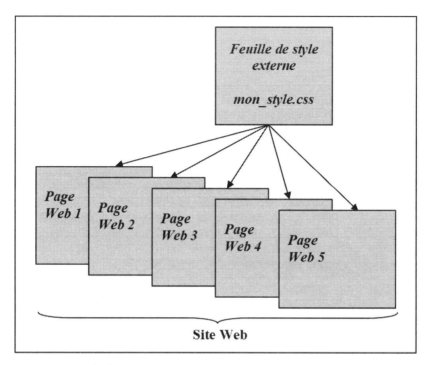

FIGURE 3-2 *Une feuille de style externe garantit une mise en forme homogène pour l'ensemble du site web.*

Pour que cette feuille de style soit prise en compte dans une page web, il suffit de l'appeler dans l'en-tête, en utilisant une des deux méthodes suivantes (dans l'exemple qui suit, la feuille de style s'appelle `mon_style.css` et se trouve dans le même dossier que la page web) :

```
<head>
  ...
<link rel="stylesheet" type="text/css"
      href="mon_style.css" />
  ...
</head>
```

ou

```
<head>
  ...
  <style type="text/css">
    @import url(mes_styles.css);
  </style>
  ...
</head>
```

> À NOTER **Méthode @import**
>
> Elle peut être utilisée dans une feuille de style externe, ce qui permet d'importer une première feuille de style à l'intérieur d'une deuxième. Elle n'est pas reconnue, donc ignorée par l'ancienne version Netscape 4, qui n'est pas aux normes CSS et interprète mal les styles : mieux vaut lui laisser ignorer ces styles et afficher le texte brut, qui au moins restera lisible.

Styles en ligne

Dans le corps de la page HTML (entre `<body>` et `</body>`), il est possible de préciser des styles qui prévaudront sur ceux précédemment déclarés dans la feuille de style.

Exemple d'un titre de niveau 2 qui doit être centré et écrit en rouge :

```
<h2 style= "text-align: center; color: red;">
  ...Titre...
</h2>
```

Cette méthode est à éviter autant que possible, car elle revient à mélanger à nouveau le contenu et la mise en forme, comme en « ancien » HTML :

- Cela enlève la clarté et l'homogénéité apportées par les feuilles de style.
- La maintenance des pages redevient plus délicate.

Il est préférable d'identifier la balise concernée à l'aide d'un nom, qui permettra de lui attribuer une règle de style spécifique.

Sélecteurs de style

Dans une règle de style, le choix du sélecteur est extrêmement important :
il indique les balises concernées par la mise en forme qui suit.

Si des balises de même type doivent avoir différentes mises en forme, elles
seront identifiées par des noms, lesquels seront repris dans les sélecteurs.

Comme au théâtre

FIGURE 3-3   *Allons au théâtre...*

Avant d'aller plus loin, transportons-nous au théâtre pour un petit instant.
Tiens ! On y monte une pièce... Le metteur en scène distribue les rôles, les
costumes et il place les acteurs qui joueront la pièce.

De la même façon, le concepteur web va placer les balises XHTML de la
page. Le costume qu'il leur attribuera sera fait de couleurs, de polices de
caractères, de bordures...

FIGURE 3-4 *Le metteur en scène monte une pièce, comme le concepteur web met en place son site : il aura un certain nombre d'éléments à mettre en forme.*

Sélecteur simple

Au théâtre, le metteur en scène dit : « Vous les hommes, vous serez habillés en bleu. Et vous, les femmes, en rouge. »

Les acteurs représentant nos balises de la page web, les hommes et les femmes sont des types de balises, par exemple, <div> et <p>, et la règle qui vient d'être énoncée :

```
homme { couleur: bleu; }
femme { couleur: rouge; }
```

pourrait devenir, dans notre feuille de style :

```
div { color: blue; }
p { color: red; }
```

La première règle s'applique à toutes les balises <div> de la page web, la deuxième à toutes les balises <p>.

FIGURE 3-5 *"Les hommes seront habillés en bleu, les femmes en rouge." Les hommes et femmes représentent des « balises » distinctes, auxquelles sont attribuées des valeurs différentes pour la propriété « couleur ».*

Classe

Une catégorie de balises

Au théâtre, le metteur en scène demande aux femmes qui ont un chapeau de venir au centre de la scène. Là, il vient de définir une sous-catégorie parmi celle des femmes. La consigne ne s'adresse plus à toutes les femmes, mais seulement aux femmes qui ont un chapeau.

Dans nos pages web, supposons que parmi les paragraphes (inclus dans une balise `<p>...</p>`), il faille centrer uniquement ceux qui constituent un chapeau dans le texte (phrase d'introduction qui surplombe plusieurs colonnes).

Il suffit de donner un **nom de classe** à ces paragraphes, comme attribut de la balise dans le code HTML :

```
<p class="chapeau">...</p>
```

et d'écrire la règle suivante dans la feuille de style :

```
p.chapeau { text-align: center; }
```

Les balises qui ne sont pas de classe « chapeau » ne seront pas concernées par cette règle, ni les balises autres que `<p>`, même si elles sont de classe « chapeau ». En particulier, la règle précédente ne s'applique pas à l'élément `<div class="chapeau"><p> ... </p></div>`.

Une même classe pour plusieurs types de balises

Notre metteur en scène prie alors toutes les personnes qui ont un chapeau de se pencher pour saluer le public. Une catégorie est définie, là encore, mais elle n'est pas associée à un type d'acteur : les hommes comme les femmes sont concernés.

De la même façon, il est possible d'appliquer des propriétés à plusieurs éléments de la page web, quelle que soit la balise qui les entoure. Il suffit de leur attribuer une classe commune, par exemple `<p class="menu">`, `<h1 class="menu">`, `<a class="menu">` et d'écrire une règle du type :

```
.menu { font-style: italic; }
```

FIGURE 3-6 *"Les femmes qui ont un chapeau, venez au centre de la scène !"*
Parmi les femmes est désignée la « classe » de celles qui ont un chapeau.

Le type de balise n'est pas précisé, seule la classe est indiquée. Cette règle écrira donc en italique le contenu de n'importe quelle balise de classe « menu ».

> À NOTER **Plusieurs classes pour une même balise**
>
> Une balise peut être associée à plusieurs classes. Par exemple, l'élément `<p class="intro menu">...</p>` sera mis en forme par les règles du type `p.intro { ... }` et `p.menu { ... }`. Notez cependant qu'il n'est pas possible d'écrire comme sélecteur `p.intro.menu`, donc de préciser l'appartenance d'une balise à deux classes à la fois.

Identifiant

Retour au théâtre : après les directives générales, le metteur en scène donne des instructions plus précises, à chaque acteur en particulier. « Toi, Marcel, passe à droite ! Toi, Jeannette, assieds-toi dans le fauteuil ! » Chacune de ces consignes ne concerne qu'une personne. Il n'y a qu'un seul Marcel et une seule Jeannette dans la troupe des Joyeux Cabotins, et au début de la saison, lors des présentations, chacun a donné son prénom.

C'est ainsi qu'en XHTML, une alternative aux classes est utilisée pour repérer un élément **unique** dans une page web. Il s'agit de donner à la balise un **identifiant** :

```
<div id="Marcel">....</div>
<p id="Jeannette">...</p>
```

ce qui permet de préciser cet identifiant dans la feuille de style, à l'aide du dièse # :

```
div#Marcel { text-align: right; }
p#Jeannette { vertical-align: -50%; }
```

Comme vous le voyez, le sélecteur précise l'identifiant comme une classe, simplement avec un dièse # à la place du point. Évidemment, les identifiants seront rarement des prénoms, mais plutôt des repères liés à la fonction de l'élément dans la page. Par exemple, à ce paragraphe :

```
<p id="auteur">...</p>.
```

sera attribué une propriété de style comme :

```
p#auteur { color: gray; }
```

À NOTER **Utilisation des identifiants**

- L'identifiant `id="..."` ne doit être utilisé que pour un seul élément de la page, car en XHTML il remplace l'attribut `name="..."` pour repérer un élément (l'attribut `name` doit néanmoins être conservé pour les balises `map` et les éléments de formulaire).
- Dans une règle, il est possible d'utiliser une classe et un identifiant en même temps : `p.menu#auteur {...}`.

FIGURE 3-7 *"Jeannette, assieds-toi dans le fauteuil !" Le nom de cette actrice, c'est son « identifiant ».*

Identifiant sans nom de balise

De la même manière que pour les classes, le nom de la balise peut être omis dans le sélecteur :

```
#auteur { color: gray; }
```

Cette règle s'applique à **la** balise quelconque d'identifiant « auteur » `<... id="auteur">` (une seule dans la page).

> PRÉCISION **Avec ou sans identifiant ?**
>
> Les sélecteurs `p#auteur` et `#auteur` sont équivalents, puisqu'il n'y a qu'une seule balise d'identifiant « auteur » dans la page. En revanche, en ce qui concerne les classes, les sélecteurs `p.chapeau` et `.chapeau` n'ont pas le même sens : la balise `<div class="chapeau">` est concernée par le deuxième sélecteur, mais pas par le premier.

Différence entre classe et identifiant

TABLEAU 3-1 **Comparaison entre classe et identifiant**

	Classe	Identifiant
Balise	`<p class="toto">`	`<p id="toto">`
Règle de style	`p.toto { ... }` `.toto { ... }`	`p#toto { ... }` `#toto { ... }`
Éléments concernés	plusieurs balises, identiques ou différentes	une seule balise dans toute la page

Pseudo-classes

Notre metteur en scène précise et coordonne les actions des acteurs : « Toi, lorsque le maître de maison arrive, tu te retournes. Toi, après le passage du docteur, tu es guéri ! »

En CSS, il existe des **pseudo-classes** qui, accolées à une balise, apportent des précisions aux sélecteurs et fournissent des propriétés à utiliser dans certains cas de figure :

```
:link, :visited, :hover, :active,
:first-child, :focus, :lang
```

Leur utilisation sera détaillée un tout petit peu plus loin. La pseudo-classe la plus utilisée est `:hover` ; elle indique que la règle de style n'est à appliquer qu'au passage de la souris.

Par exemple, mettre en rouge le texte de toutes les balises `<a>` au survol de la souris s'écrit :

```
a:hover { color: red; }
```

Cette autre règle met le texte en rouge au passage de la souris sur les balises `<a class="menu" ...>`, les autres balises `<a>` n'étant pas concernées :

```
a.menu:hover { color: red; }
```

FIGURE 3-8 « *Après le passage du docteur, tu es guéri !* » *L'action (rapide !) du docteur a eu un effet sur l'acteur, comme un clic de souris sur un lien le transforme en lien « visité ».*

Pseudo-classes pour les liens hypertextes

- `:link` = lien hypertexte qui n'a pas été visité ;
- `:visited` = lien visité (et encore présent dans l'historique du navigateur) ;
- `:hover` = survol de la souris ;
- `:active` = élément activé (la souris pointant ce lien, son bouton est enfoncé).

Si plusieurs de ces quatre pseudo-classes sont utilisées, il faut respecter un ordre précis pour qu'elles soient bien prises en compte : `:link`, puis

`:visited`, puis `:hover`, puis `:active`. Il existe un moyen mnémotechnique pour mémoriser cet ordre : LoVe HAte.

Autres pseudo-classes

- `:first-child` = premier enfant d'une balise quelconque (qui suit immédiatement cette balise) ;
- `:focus` = qui possède le focus (exemple pour une zone de saisie d'un formulaire : le curseur clignote dedans) ;
- `:lang` = balise qui possède un attribut « `lang` ».

ATTENTION **Prise en compte des pseudo-classes**

- Les pseudo-classes `:focus` et `:lang` ne sont pas prises en compte par Internet Explorer, version 6 ou 7.
- La pseudo-classe `:first-child` n'est pas prise en compte par Internet Explorer 6, mais elle est reconnue par la version 7 ainsi que par Firefox.

Pseudo-éléments

Ressemblant aux pseudo-classes, les pseudo-éléments apportent d'autres types de précision :

- `:first-letter` = première lettre du bloc ;
- `:first-line` = première ligne du bloc ;
- `:before` = avant la balise spécifiée ;
- `:after` = après la balise spécifiée

L'exemple suivant agrandit la taille de la première lettre pour chaque paragraphe `<p>` :

```
p:first-letter { font-size: 150%; }
```

UTILISATION **Pseudo-éléments `:before` et `:after`**

Ces deux pseudo-éléments servent à insérer du texte ou une image avant ou après une balise donnée.
Exemple : `p.note:before { content: "Note : "; }`
Ils ne sont pas reconnus par Internet Explorer, versions 6 et 7.

Règle associée à plusieurs sélecteurs

Si le metteur en scène dit : « Tous les hommes avec un chapeau et toutes les femmes, venez au centre de la scène ! », il donne une seule consigne qui s'adresse à plusieurs catégories d'acteurs.

En CSS, cela donnerait quelque chose comme :

```
div.chapeau, p { text-align: center; }
```

Cette règle s'applique à toutes les balises `<p>` et aux balises `<div class="chapeau">`.

Voici un autre exemple de règle qui s'applique au contenu des balises `<h1>`, `<h2>` et `<h3 class="sommaire">` :

```
h1, h2, h3.sommaire { text-align: center; }
```

FIGURE 3-9 *En donnant une consigne unique pour les hommes avec chapeau et les femmes, le metteur en scène attribue, en une seule fois, une « propriété » à une balise avec la classe « chapeau », ainsi qu'à une autre balise, sans précision de classe.*

Regroupement de propriétés à l'aide de « raccourcis »

La règle suivante définit, pour les titres de niveau 1, leur type de bordure (épaisseur, style et couleur de l'encadrement) :

```
h1 {
    border-width: 2px;
    border-style: solid;
    border-color: blue;
}
```

Ces trois propriétés peuvent être remplacées par une seule propriété `border` qui prend en compte les trois valeurs associées :

```
h1 { border: 2px solid blue; }
```

Hiérarchie des sélecteurs

Pour appliquer un style à un élément à condition qu'il soit inclus dans un autre, il suffit d'écrire un sélecteur avec les deux noms de balises (ou de classe, d'identifiant...) séparés par un espace, comme le montrent les exemples ci-après.

Pour justifier seulement les paragraphes `<p>` inclus dans un bloc `<div>`, il faut écrire la règle suivante :

```
div p { text-align: justify; }
```

Pour mettre en gris uniquement les liens contenus dans l'élément d'identifiant « sommaire », la règle à utiliser est :

```
#sommaire a { color: gray; }
```

> À NOTER **Plusieurs niveaux d'imbrication**
>
> Ces règles s'appliquent aussi aux balises qui sont séparées par d'autres niveaux d'imbrication. Il suffit que la deuxième balise soit un « descendant », direct ou éloigné, de la première.
>
> La règle du dernier exemple s'appliquera dans le cas suivant :
> `<div #sommaire>...<p>...<a>...</a>...</p>...</div>`

Hiérarchie précise des sélecteurs

Les caractères > et + expriment une hiérarchie plus précise entre les balises : imbrication directe pour >, juxtaposition des balises avec +.

Imbrication directe

```
div > h1 { font-style: italic; }
```

Cette règle s'applique aux balises <h1> qui sont dans le premier niveau d'imbrication à l'intérieur d'une balise <div> (enfant direct), mais elle n'influera pas sur celles imbriquées plus « profondément » à partir du <div> (descendants au-delà de la première génération).

Juxtaposition

```
h1 + h2 { margin-top: 10px; }
```

Cette règle s'applique à chaque balise <h2> qui suit une balise de ferme-ture </h1> (= le frère suivant de <h1>). Entre ces deux balises peut se trouver du texte, mais pas une autre balise.

Sélecteur d'attribut [...]

C'est une méthode d'avenir, qui sélectionne les balises ayant un attribut donné. Elle est prise en compte par Firefox 1.5 et Internet Explorer 7, mais pas par Internet Explorer 6.

Voici un exemple de règle qui applique une couleur de fond jaune aux boutons de formulaire. Elle concerne les balises <input> qui ont un attribut type="button", donc les balises <input type="button"...>:

```
input[type="button"] { background-color: yellow; }
```

Voici un autre exemple, qui met en vert le texte des liens pour lesquels un raccourci d'accessibilité est défini par l'attribut `accesskey` (`<a accesskey="..."...>`), quelle que soit ici la valeur de cet attribut :

```
a[accesskey] { color: green; }
```

Sélecteur universel *

Retournons une dernière fois au théâtre, si vous le voulez bien. Le metteur en scène, très pointilleux, explique : « À la fin de la pièce, tous les acteurs viennent au centre pour saluer. » (Et les acteurs haussent les épaules, pour dire : « Mais il nous prend pour des débutants, ce rigolo ? »). Le terme « tous les acteurs » englobe tous les éléments de notre joyeuse troupe, sans exception.

FIGURE 3-10 *« À la fin de la pièce, tous les acteurs viennent au centre pour saluer. » Toutes les balises sont concernées par la propriété.*

Dans une règle de style, c'est l'étoile * qui est utilisée comme sélecteur universel. Elle signifie : « n'importe quelle balise ». La consigne précédente devient alors :

```
* { text-align: center; }
```

Voici en particulier une propriété qui est souvent utilisée pour toutes les balises de la page :

```
* { margin: 0; }
```

> À NOTER **Règle pour toutes les balises d'un bloc**
> Si une règle concerne toutes les balises qui sont incluses dans un bloc donné, il faut écrire par exemple :
> div * { color: blue; }
> Dans ce cas précis, toutes les balises qui sont incluses dans un bloc
> <div> verront leur texte écrit en bleu.

Ordre de priorité des styles

Si une règle de style vient contredire une règle précédente, c'est *en général* le dernier style défini qui s'applique.

Règle de style prioritaire

Pour qu'un style ne soit pas modifié par un autre, écrire !important avant le point-virgule qui termine la propriété. Exemple :

```
body { background-color: white !important; }
```

PRÉCISION

Comportement d'Internet Explorer avec !important

Internet Explorer 6 ne prend en compte cette règle contenant `!important` qu'après avoir lu son accolade de fin. Ce défaut peut être utilisé pour indiquer deux règles en une seule, destinées à différents navigateurs.

Dans l'exemple qui suit (tiré de http://www.babylon-design.com), une image de fond PNG est affichée, sauf pour IE 6 (Internet Explorer 6) qui ne comprend pas la transparence de ces images et qui affichera ici une image GIF :

- une règle pour les navigateurs aux normes CSS, avec `!important` ;
- puis une autre règle, sans `!important`, pour IE 6

```
div.ma_classe {
    background-image:url(image1.png) !important;
    background-image:url(image2.gif);
}
```

Pour les navigateurs aux normes CSS, seule la première image de fond sera utilisée, tandis qu'IE 6 redéfinira le style et utilisera la deuxième image.

FIGURE 3-11 *Comme les véhicules de secours sur la route, les propriétés marquées par* `!important` *auront la priorité.*

Degré de priorité d'une règle de style

Les débutants en CSS peuvent ignorer ce paragraphe dans un premier temps.

La règle exacte de priorité, pour les styles en cascade, est la suivante :

Si deux règles de style sont contradictoires, la deuxième remplace la première, sauf si cette première règle a un degré de priorité (c'est-à-dire de spécificité) supérieur à la deuxième.

Le degré de priorité d'une règle de style est fonction d'un nombre de quatre chiffres $x_4 x_3 x_2 x_1$, calculé à partir du sélecteur de cette règle :

- chiffre des *milliers* (x_4) :

   1 si style **prioritaire** (style en ligne, ou `!important`), 0 sinon ;

- chiffre des *centaines* (x_3) :

   nombre d'identifiants (#xxx) dans le sélecteur ;

- chiffre des *dizaines* (x_2) :

   nombre de classes (.xxx) qui interviennent dans le sélecteur ;

- chiffre des *unités* (x_1) :

   nombre d'éléments séparés par des espaces dans le sélecteur.

Le tableau suivant permet de comprendre ce calcul de spécificités, donc de priorités, classées ici par ordre croissant. Ce document provient de la page http://www.openweb.eu.org/articles/cascade_css/, à consulter pour plus d'informations.

TABLEAU 3-2 **Exemples de calculs de priorité**

Style	Style local ou !important	Nombre d'identifiants	Nombre de classes	Nombre d'éléments	Priorité
`* {...}`	0	0	0	0	0000
`p {...}`	0	0	0	1	0001
`div p {...}`	0	0	0	2	0002
`.class {...}`	0	0	1	0	0010
`p.class {...}`	0	0	1	1	0011

TABLEAU 3-2 Exemples de calculs de priorité (suite)

Style	Style local ou !important	Nombre d'identifiants	Nombre de classes	Nombre d'éléments	Priorité
div p.class {...}	0	0	1	2	0012
#id {...}	0	1	0	0	0100
p#id {...}	0	1	0	1	0101
div p#id {...}	0	1	0	2	0102
.class #id {..}	0	1	1	0	0110
.class p#id {...}	0	1	1	1	0111
div.class p#id {...}	0	1	1	2	0112
<p style="...">	1	0	0	0	1000
..{..!important;}	1	0	0	0	1000

Application

Voici un exemple où une propriété est redéfinie à l'aide d'une deuxième règle qui a moins de priorité que la première :

```
div p { color: blue; }
p { color: green; }
```

Dans ce cas, les paragraphes <p> seront écrits en vert, sauf ceux inclus dans un bloc <div>, qui resteront en bleu.

Cet exemple n'est toutefois pas un modèle d'écriture à suivre : la logique et la facilité de compréhension du code voudraient que l'ordre de ces deux règles soit inversé, pour aller du plus général vers le plus spécialisé.

À NOTER **Combinateurs d'éléments**

Les combinateurs d'éléments tels que > (enfants directs) ou + (éléments adjacents) n'ont pas d'influence sur les priorités.

Valeurs, tailles et couleurs

Avant d'aborder le détail des propriétés, il est important de définir les codes et unités à adopter pour les valeurs qui leur seront attribuées.

Héritage de propriété

Toutes les propriétés peuvent prendre la valeur `inherit` : cela crée un héritage pour des propriétés qui ne sont pas initialement héritées.

Unités de taille

Les unités de taille sont souvent utilisées pour les propriétés de polices de caractères : bordures, dimensions, marges extérieures et intérieures...

Elles peuvent être fixes, définies par une longueur, ou relatives à l'affichage utilisé.

> À NOTER **Valeurs décimales**
> Les valeurs de taille peuvent ne pas être entières, mais il faut utiliser le point et non la virgule comme séparateur décimal.

Unités de taille fixes

Les valeurs utilisables pour des tailles fixes sont :
- **pt** (1 point = 0,35 mm) ;
- **pc** (1 pica = 12 pt = 4,22 mm) ;
- **cm, mm, in** (1 inch ou 1 pouce = 2,54 cm).

Il vaut mieux éviter ces tailles fixes, qui ne tiennent pas compte de la taille de l'écran et empêchent aussi la personnalisation de l'affichage dans le navigateur.

Unités de taille relatives (conseillées)

Les unités de taille relatives sont fonctions du nombre de points sur l'écran.

Voici les mesures disponibles :

- **em** (largeur d'une majuscule comme M) ;
- **ex** (hauteur d'une minuscule comme x, souvent arrondie à 0.5em), ;
- **%** (100 % = 1em pour font-size) ;
- **px** (pixel = un point de l'écran ; en théorie 96 pixels par pouce).

> ATTENTION **Balises imbriquées**
>
> Dans les balises imbriquées, la taille d'un élément définie avec ces unités (sauf les pixels) est relative à celle du bloc parent. Par exemple, si la feuille de style contient :
> ```
> p, span { font-size: 2em; }
> ```
> alors la ligne HTML suivante :
> ```
> <p> texte 1 <span> texte 2 </span></p>
> ```
> affichera texte 1 en taille 2em et texte 2 en taille 4em.

Tailles définies par mots-clés

Les tailles peuvent également être données à l'aide de mots-clés, qui ressemblent aux dimensions des vêtements. Ces définitions sont moins précises, car interprétées différemment par les navigateurs.

De la plus petite à la plus grande, les tailles disponibles sont :

```
xx-small, x-small, small, medium (taille standard),
large, x-large, xx-large.
```

Codage des couleurs

Les couleurs sont définies à l'aide de noms ou de codes numériques.

Noms de couleurs

À certaines couleurs « standards » ont été attribués des mots réservés : `blue`, `white`, `red`... Voir en annexe la liste de ces mots-clés.

Code RVB

Le codage rouge-vert-bleu (RVB en français, RGB en anglais) consiste à préciser la quantité de chacune de ces couleurs, exprimée :

- en **décimal** :`rgb(255,0,0)` = rouge
- en **pourcentage** :`rgb(0,100%,0)` = vert
- en **hexadécimal** :`#0000ff` = bleu (deux chiffres hexadécimaux pour chaque couleur RVB)

> REMARQUE **Notation hexadécimale raccourcie**
>
> Il est possible d'utiliser une notation hexadécimale raccourcie, dans laquelle chaque chiffre hexadécimal doit être doublé pour obtenir le code réel de la couleur. Par exemple, `#00f` = bleu (équivalent à `#0000ff`)

> À NOTER **Noir et blanc**
> - `rgb(0,0,0)` = `#000` = `#000000` = `black` = noir
> - `rgb(255,255,255)` = `rgb(100%,100%,100%)` = `#fff` = `#ffffff` = `white` = blanc

Couleurs « sûres »

Il existe une liste de 216 couleurs RVB appelées « couleurs sûres », dont l'affichage sur l'écran est garanti sur toutes les configurations matérielles et logicielles.

En hexadécimal, chacune des composantes RVB de ces couleurs sûres vaut 00, 33, 66, 99, cc ou ff.

Les systèmes pouvant aujourd'hui pour la plupart afficher les 16 277 216 couleurs possibles en RVB, il n'est plus nécessaire de se restreindre à ces couleurs sûres.

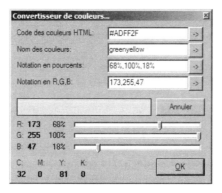

FIGURE 3-12 *Le logiciel PsPad propose un convertisseur de couleurs, entre code hexa-décimal, nom de couleur et notation RGB, en pourcentage ou en décimal.*

Exemple de page avec feuille de style interne

Voici une page XHTML simplifiée, avec sa feuille de style interne.

La lecture du code et de ses commentaires nous montre une mise en pratique des notions vues précédemment.

Certes, les propriétés et leur utilisation n'ont pas encore été détaillées, mais celles qui figurent ici sont simples à comprendre.

```
<html>
<head>

<meta http-equiv="content-type"
            content="text/html; charset=utf-8" />
<title>Garage des Tacots - Page d'accueil</title>

<style type="text/css">
<!--
/* Pour toute la page :
   texte centré, fond gris clair */
body { text-align: center; background-color: silver;}
```

```
/* Tous les titres h1 sont en marron, en taille 250%
   et sur fond blanc */
h1 { color: brown; font-size: 250%;
     background-color: white; }
/* Tous les titres h2 sont en bleu,
   avec une marge de 30 pixels autour */
h2 { color: blue; margin: 30px; }
/* Toutes les balises de classe "titre"
   sont en vert */
.titre { color: green; }
/* Les titres h1 de classe "titre" sont en Arial,
   en taille 280% et encadrés d'un trait plein */
h1.titre { font-family: Arial, sans-serif;
           font-size: 280%; border: solid; }
/* Les titres h2 de classe "titre" sont en italique
   et en taille 150% */
h2.titre { font-style: italic; font-size: 150%; }
-->
</style>

</head>

<body>

<h1 class="titre">Garage des Tacots</h1>
<h2 class="titre">Voitures anciennes</h2>
<br />

<h1>Nos services</h1>
<h2>Peinture et retouches</h2>
<h2>Pièces sur mesure</h2>
<h2>Pneumatiques toutes dimensions</h2>

</body>

</html>
```

Vous pouvez recopier ce code dans un fichier texte, l'enregistrer avec l'extension .html et l'afficher dans votre navigateur web en double-cliquant sur ce fichier.

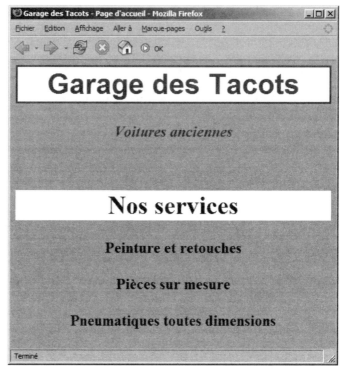

FIGURE 3-13 *Affichage de la page « Garage des tacots » dans un navigateur web*

À partir de cet exemple, n'hésitez pas à modifier les propriétés, les niveaux de titres, les classes, pour mieux comprendre leur fonctionnement.

Une présentation très différente de cette page peut être obtenue en modifiant seulement les valeurs de certaines propriétés. La figure 3-14 en donne une illustration, à partir de la feuille de style suivante :

```
<style type="text/css">
<!--
/* Pour toute la page :
   texte aligné à gauche, fond bleu clair */
body {text-align: left; background-color: lightblue;}
```

```
/* Titres h1 : en blanc, taille 200%, fond gris */
h1 { color: white; font-size: 200%;
     background-color: silver; }
/* Titres h2 : en noir, marges de 10 pixels */
h2 { color: black; margin: 10px; }
/* Balises de classe "titre" : en bleu */
.titre { color: blue; }
/* Titres h1 de classe "titre" : en Courier New,
   taille 250% et encadré avec des tirets */
h1.titre { font-family: "Courier New", monospace;
           font-size: 250%; border: dashed; }
/* Titres h2 de classe "titre" : en italique,
   taille 190% */
h2.titre { font-style: italic; font-size: 190%; }
-->
</style>
```

FIGURE 3-14 *Une autre version de la page précédente, où seules ont été changées les valeurs de certaines propriétés.*

Propriétés de mise en forme

Détaillons les propriétés de mise en forme : nom, syntaxe, valeurs possibles, héritage. Des exemples illustrent chacune de ces propriétés.

Après avoir découvert le principe des feuilles de style et de leur écriture, nous voici dans le vif du sujet : les propriétés disponibles en CSS 2. Sans avoir à les apprendre par cœur, il est quand même utile d'en connaître l'existence, pour penser à les utiliser.

Mise en forme des caractères

Donnez du style à vos textes ! Vous allez pouvoir leur conférer tantôt une fière allure, tantôt un aspect discret, bref tout ce qu'il faut pour enjoliver votre prose (ou vos poèmes !) à la manière d'un traitement de texte.

Sont regroupées ici toutes les propriétés qui peuvent s'appliquer aux caractères, mais plus souvent utilisées pour mettre en forme des mots ou des paragraphes entiers.

Choix des polices

TABLEAU 4–1 **Propriété font-family**

Propriété	`font-family`

Exemples	`p {font-family: Arial, Verdana, sans-serif;}`
	`p {font-family: "Times New Roman", serif;}`
	`p {font-family: "Courier New" , monospace;}`

Valeurs possibles	**Noms de polices de caractères**, séparés par des virgules (les noms en plusieurs mots sont à mettre entre guillemets), ou type de police générique : `serif`, `sans-serif`, `monospace`.
Héritage	Propriété *héritée* : elle se transmet dans les balises imbriquées.

IMPORTANT **Choix des polices**

Une police de caractères ne s'affichera que si elle est installée sur l'ordinateur utilisé pour consulter la page web. Il vaut donc mieux :

- Éviter les polices « personnelles », qui ne sont pas installées en standard par Windows et Mac OS, mais qui ont été ajoutées sur votre ordinateur (par exemple, l'installation de certains logiciels ajoute des polices automatiquement).
- Proposer plusieurs polices de caractères : si le navigateur web ne trouve pas la première police sur l'ordinateur utilisé, il prendra la deuxième ; s'il ne la trouve pas non plus, il prendra la troisième...
- Terminer la liste par une police « générique » : `serif`, `sans-serif`, `monospace` (police à chasse fixe, du type Courier) ; il existe aussi les types `cursive` et `fantasy`, très peu utilisés.

À NOTER **Polices courantes**

Les polices « standards », qu'on a toutes les chances de trouver sur un PC ou un Mac, sont : `Arial`, `Arial Black`, `Comic sans MS`, `Courier New` (`Courier`), `Garamond`, `Georgia`, `Impact`, `Times New Roman` (`Times`), `Trebuchet MS` (`Trebuchet`), `Verdana`, `Webdings`.

Taille de police

TABLEAU 4-2 Propriété font-size

Propriété	`font-size`
Exemples	`h1 { font-size: 150%; }` `p { font-size: 15px; }`
Valeurs possibles	*taille relative* (conseillée) en **em**, **ex**, **%** ou **px** ou *taille fixe* en **pt**, **pc**, **cm**, **mm**, **in** ou *mot-clé* `xx-small`, `x-small`, `small`, `medium` (= standard), `large`, `x-large`, `xx-large`
Pourcentages	% de la taille de la police dans l'élément parent.
Héritage	Propriété *héritée*.

> ATTENTION **Tailles relatives**
>
> Mises à part celles exprimées en pixels, les tailles relatives sont exprimées par rapport à la taille de police de la balise qui contient l'élément. Dans l'exemple suivant :
> ```
> <p>Bonjour <span>tout le monde</span></p>
> ```
> associé à la règle de style :
> ```
> p, span { font-size: 80%; }
> ```
> la taille du texte de la balise `<span>` sera 64 % de celle de la taille initiale.

Couleur du texte

TABLEAU 4-3 **Propriété color**

Propriété	`color`

Exemples	`body { color: #0000ff; }`
	`h1.menu { color: #6e05c3; }`
	`.utile { color: rgb(255,0,0); }`
	`em { color: green; }`

Valeurs possibles	**nom de couleur** prédéfini ou **code RVB**
Héritage	Propriété *héritée*.

> ATTENTION **Nom de la propriété color**
>
> La propriété qui change la couleur du texte est bien `color`. Une erreur courante consiste à écrire *font-color*, mais ce nom de propriété n'existe pas, même s'il eût été logique pour indiquer la couleur de police.

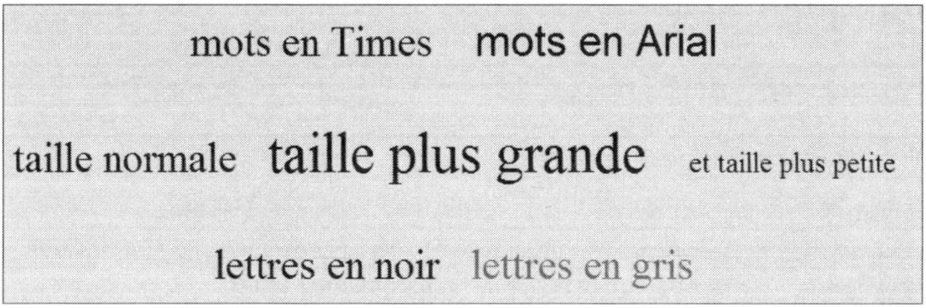

Figure 4-1 *Utilisation des propriétés* font-family *(type de police),* font-size *(taille des caractères) et* color *(couleur d'écriture)*

Texte en gras

Il s'agit de préciser l'épaisseur d'écriture.

Tableau 4-4 Propriété font-weight

Propriété	font-weight
Exemple	`.principal { font-weight: bold; }`
Valeurs possibles	`normal` (valeur par défaut), `bold` : gras, `lighter` : moins gras que le style en cours, `bolder` : plus gras que le style en cours, ou un nombre 100, 200... 900 qui définit le niveau de gras
Héritage	Propriété *héritée*. Utiliser la valeur *normal* pour annuler l'héritage.

À NOTER **Valeurs numériques de gras**

Dans l'échelle des valeurs numériques qui définissent le niveau de gras, 400 correspond à normal et 700 à bold.

Toutefois, l'utilisation de ces valeurs est déconseillée, car elle ne sont pas bien prises en compte par les différents navigateurs.

Italique

TABLEAU 4-5 Propriété font-style

Propriété	font-style
Exemple	`.remarque { font-style: italic; }`
Valeurs possibles	`normal` : écriture droite (valeur par défaut), `italic` : italique, `oblique` : police de type « oblique » (rare).
Héritage	Propriété *héritée*. Utiliser la valeur *normal* pour annuler l'héritage.

Soulignement et autres « décorations »

TABLEAU 4-6 Propriété text-decoration

Propriété	text-decoration
Exemples	`a:hover { text-decoration: none; }` (suppression du soulignement des liens au passage de la souris) `h1 { text-decoration: underline overline; }` (titres de niveau 1 soulignés et surlignés)
Valeurs possibles	`none` : supprime tout soulignement et toute autre valeur attribuée à `text-decoration` (valeur par défaut), `underline` : souligné, `overline` : surligné (trait au-dessus), `line-through` : barré, `blink` : clignotement du texte.
Héritage	Cette propriété n'est *pas héritée*, contrairement aux autres propriétés liées aux caractères.

À NOTER **Utilisation de text-decoration**

- La prise en compte par les navigateurs de `blink` (clignotement du texte) est facultative.
- Il est possible de spécifier plusieurs valeurs pour `text-decoration`. Par exemple, la règle suivante permet d'obtenir des titres de niveau 1 qui sont à la fois soulignés et surlignés :

```
h1 { text-decoration: underline overline; }
```

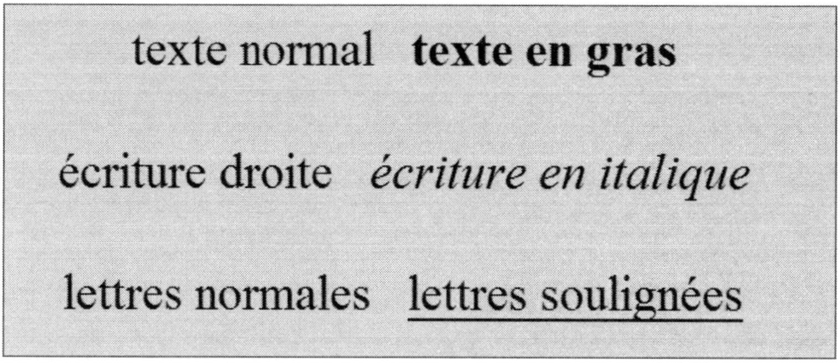

texte normal **texte en gras**

écriture droite *écriture en italique*

lettres normales <u>lettres soulignées</u>

Figure 4-2 *Mise en œuvre des propriétés* font-weight *(gras),* font-style *(italique) et* text-decoration *(soulignement)*

Majuscules et minuscules

Tableau 4-7 Propriété text-transform

Propriété	text-transform
Exemple	.pays { text-transform: uppercase; }
Valeurs possibles	capitalize : première lettre de chaque mot en majuscule, lowercase : tout en minuscules, uppercase : tout en majuscules, none : écriture standard (valeur par défaut).
Héritage	Propriété *héritée*. Utiliser la valeur *none* pour annuler l'héritage.

Petites majuscules

Si un texte doit être mis en majuscules sans qu'il ne soit trop voyant, il est possible de l'écrire en petites majuscules : ces majuscules ont à peu près la taille des minuscules.

TABLEAU 4-8 **Propriété font-variant**

Propriété	`font-variant`
Exemple	`.ville { font-variant: small-caps; }`
Valeurs possibles	`normal` : texte normal (valeur par défaut), `small-caps` : tout en petites majuscules.
Héritage	Propriété *héritée*. Utiliser la valeur *normal* pour annuler l'héritage.

Surlignage de lettres

Il est possible d'attribuer un fond de couleur à certaines lettres ou à certains mots, à la manière du surligneur sur papier. Cette propriété servira aussi à choisir la couleur de fond d'un paragraphe ou d'un bloc (voir plus loin).

TABLEAU 4-9 **Propriété background-color pour le texte**

Propriété	`background-color`
Exemple	`strong { background-color: red; }`
Valeurs possibles	**nom de couleur** prédéfini ou **code RVB** ; `transparent` (valeur par défaut)
Héritage	Cette propriété n'est *pas héritée*, mais la valeur par défaut `transparent` laisse voir la couleur de l'élément conteneur ou qui se trouve en-dessous.

Décalage vers le haut ou le bas

Le décalage vertical de lettres ou de mots sert dans deux cas de figure :

- *indice* ou *exposant* (attention : il s'agit d'un simple décalage en hauteur, sans changement de la taille des lettres) ;
- *centrage vertical d'une image* sur une ligne.

Cette propriété `vertical-align` est également applicable aux *cellules d'un tableau*, avec les valeurs suivantes : `baseline`, `top` (en haut), `middle` (au milieu) et `bottom` (en bas).

Tableau 4-10 **Propriété vertical-align**

Propriété	vertical-align
Exemples	.exposant { vertical-align: super; } .indice { vertical-align: -50%; }
Valeurs possibles	baseline : sur la base de la ligne (valeur par défaut), sub : indice, super : exposant, middle : au milieu de la ligne (centrage vertical sur la ligne), text-top ou text-bottom : alignement avec le haut ou le bas de la boîte parent, **valeur** ou **pourcentage** : valeur *positive* pour un décalage vers le haut, *négative* pour un décalage vers le *bas*.
Héritage	Cette propriété n'est *pas héritée*.

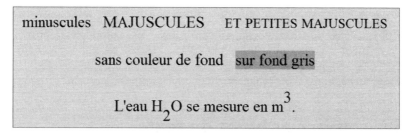

Figure 4-3 *Application des propriétés* text-transform *(majuscules),* font-variant *(petites majuscules),* background-color *(couleur de fond=surlignage) et* vertical-align *(indice/exposant)*

Raccourci pour la mise en forme de caractères

Ce raccourci permet d'indiquer, en une seule propriété, les mises en forme qui concernent l'italique, les petites majuscules, le texte en gras, la taille et la police des caractères.

Tableau 4-11 **Propriété raccourcie font**

Propriété	font
Exemples	h3 { font: bold 1.2em Verdana, sans-serif; } #note1 { font: italic 80% Garamond, serif; } .ville {font: bold small-caps 2em Times, serif;}
Valeurs possibles	Valeurs des propriétés font-style, font-variant, font-weight, font-size, line-height (hauteur de ligne, voir plus loin) et font-family.
Héritage	Propriétés *héritées*.

IMPORTANT **Utilisation du raccourci font**
- La propriété font-family est **obligatoire**, les autres sont facultatives.
- Les propriétés qui ne sont pas fournies sont réinitialisées à normal.
- Ce raccourci n'inclut pas les propriétés color, text-decoration, text-transform, background-color et vertical-align.

Paragraphes et blocs de texte

Nos mots étant mis en forme, penchons-nous sur les propriétés qui s'appliquent plutôt à des paragraphes ou à des blocs de texte entiers.

Alignement horizontal du texte

À NOTER
Alignement dans les cellules d'un tableau avec text-align
Si l'élément est une cellule de tableau, la valeur d'alignement peut être une chaîne de caractères, par exemple " , " pour un alignement sur la virgule.

Tableau 4-12 **Propriété text-align**

Propriété	`text-align`
Exemples	`p { text-align: justify; }` `.auteur { text-align: right; }`
Valeurs possibles	`left` : aligné à gauche (par défaut), `right` : aligné à droite, `center` : centré, `justify` : justifié.
Héritage	Propriété *héritée*. Pour retrouver la valeur initiale, utiliser `left`.

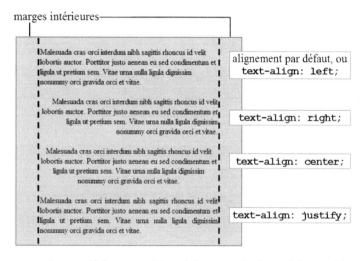

Figure 4-4 *La propriété* `text-align` *(alignement horizontal du texte), lorsqu'elle prend successivement les valeurs* `left`, `center`, `right` *et* `justify`.

Retrait de première ligne

Astuce **Retrait négatif de première ligne**

Pour obtenir un « retrait négatif de première ligne », c'est-à-dire tout le paragraphe en retrait sauf la première ligne, il suffit d'écrire par exemple :

`p { text-indent: -5em; padding-left: 5em; }`

La première ligne reste alors à sa place habituelle et le reste du paragraphe est en retrait de 5em (voir la figure 4-5).

TABLEAU 4-13 Propriété text-indent

Propriété	text-indent
Exemples	p { text-indent: 5em; }
Valeurs possibles	**valeur positive ou négative**, pour un retrait vers la droite ou vers la gauche de la première ligne ; valeur par défaut : 0. Mêmes unités que les tailles de polices de caractères, % inclus.
Pourcentages	% de la largeur du bloc conteneur.
Héritage	Propriété *héritée*. Utiliser la valeur 0 pour annuler cet héritage.

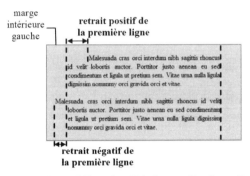

FIGURE 4-5 *Retraits positif et négatif de la première ligne d'un paragraphe, avec la propriété* text-indent

Interligne minimum

TABLEAU 4-14 Propriété line-height

Propriété	line-height
Exemple	a.menu { line-height: 2em; }
Valeurs possibles	normal (valeur standard) ou **valeur positive** pour régler l'espace minimum entre les lignes Mêmes unités que les tailles de polices, ou % de cette taille.
Pourcentage	% de la taille de police utilisée.
Héritage	Propriété *héritée*. Utiliser la valeur *normal* pour annuler l'héritage.

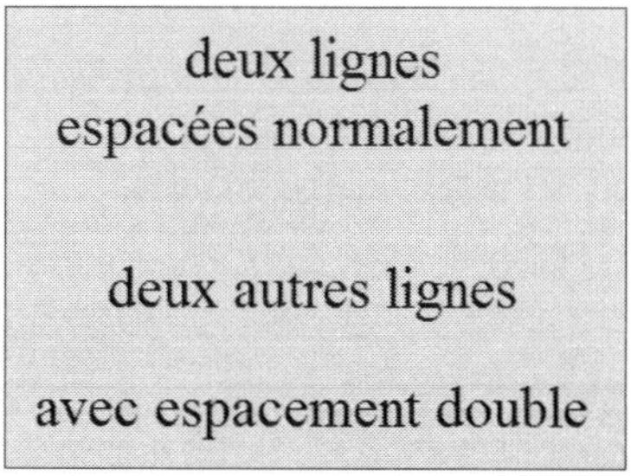

> deux lignes
> espacées normalement
>
> deux autres lignes
>
> avec espacement double

Figure 4-6 *Modification de l'interlignage avec la propriété* `line-height`

Espacement entre les lettres

L'espacement entre les lettres d'un mot s'appelle le crénage, ou encore l'interlettrage.

Tableau 4-15 Propriété letter-spacing

Propriété	letter-spacing
Exemples	`.pluslarge { letter-spacing: 0.5em; }` `.moinslarge { letter-spacing: -1px; }`
Valeurs possibles	`normal` (par défaut), valeur **positive** ou **négative**, pour augmenter ou diminuer l'interlettrage. Mêmes unités que les tailles de polices, sauf %.
Héritage	Propriété *héritée*. Utiliser la valeur *normal* pour annuler l'héritage.

Espacement entre les mots

Tableau 4-16 Propriété word-spacing

Propriété	word-spacing
Exemples	`.grandsespaces { word-spacing: 0.5em; }` `.petitsespaces { word-spacing: -2px; }`

TABLEAU 4-16 **Propriété word-spacing (suite)**

Valeurs possibles	`normal` (par défaut), valeur **positive** ou **négative**, pour augmenter ou diminuer l'espace entre les mots. Mêmes unités que les tailles de polices, sauf %.
Héritage	Propriété *héritée*. Utiliser la valeur *normal* pour annuler l'héritage.

espacement normal des lettres
texte condensé
t e x t e   é t e n d u

des mots espacés normalement,
quelques mots resserrés
d'autres   davantage   espacés.

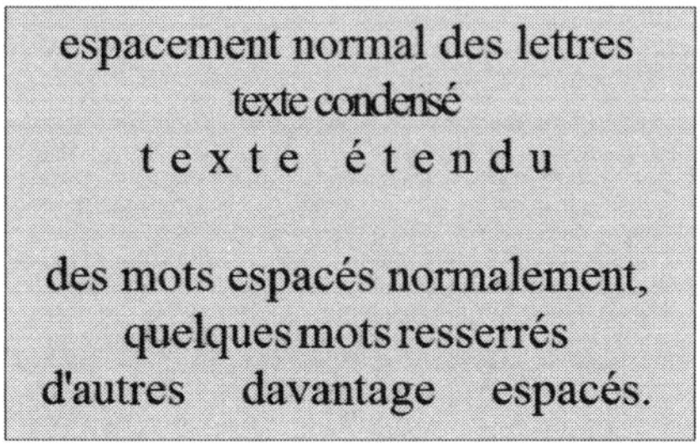

FIGURE 4-7 *Propriétés* `letter-spacing` *pour condenser ou étirer le texte,* `word-spacing` *pour écarter ou resserrer les mots entre eux*

Conservation des espaces et sauts de ligne saisis

TABLEAU 4-17 **Propriété white-space**

Propriété	`white-space`
Exemple	`p.extraits { white-space: pre; }`
Valeurs possibles	`normal` (par défaut) : affichage d'un seul espace à la place de tous les espaces et retours à la ligne qui séparent deux mots. `nowrap` : aucun retour à la ligne, sauf avec ` ` ; les espaces successifs sont fusionnés en un seul, comme avec `normal`. `pre` : conservation de tous les espaces et de tous les retours à la ligne saisis dans le code source. `preline` : conservation des retours à la ligne seulement, mais plusieurs espaces successifs sont fusionnés en un seul. `pre-wrap` : tous les espaces sont conservés, mais il n'y a de retour à la ligne qu'en fin de ligne ou avec la balise ` `.
Héritage	Propriété *héritée*. Utiliser la valeur *normal* pour annuler l'héritage.

Modification du curseur de la souris

Tableau 4–18 Propriété cursor

Propriété	cursor
Exemple	`.aide { cursor: help }`
Valeurs possibles	`auto` (valeur par défaut) : forme fonction du contexte, `default` : généralement une flèche blanche, `crosshair` : croix noire, `pointer` : main, `move` : quadruple-flèche de déplacement, et doubles-flèches de redimensionnement orientées (nord n - sud s - est e - ouest w) : `n-resize`, `s-resize`, `e-resize`, `w-resize`, `ne-resize`, `sw-resize`, `nw-resize`, `se-resize`. Voir les différents types de curseurs sur la figure 4-8.
Héritage	Propriété *héritée*. Utiliser la valeur *normal* pour annuler l'héritage.

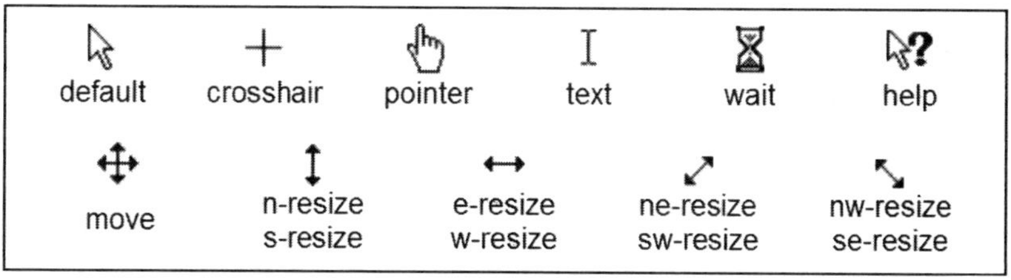

Figure 4–8 *Différents types de curseurs*

Affichage automatique d'un contenu

La propriété `content` s'utilise avec les pseudo-éléments `:before` et `:after`. Elle permet d'afficher automatiquement, avant ou après l'élément concerné, un texte, un numéro, des guillemets, une image, etc.

TABLEAU 4-19 **Propriété content**

Propriété	content

Exemples	`p.note:before { content: "Nota bene : "; }`
	`p.remarque:before {content: url(crayon.gif);}`
	`li:before { content: "["`
	`            counter(chapitre,lower-roman) "]";}`
	`.citation.before { content: open-quote; }`
	`.citation.after { content: close-quote; }`
	`img:after { content: attr(title); }`

Valeurs possibles	**chaîne de caractères** : à écrire entre guillemets (valeur par défaut = chaîne vide " "). `url(fichier)` : fichiers à utiliser (image à afficher, son à jouer, etc.). `counter(nom)` ou `counter(nom,style)` : style à choisir parmi les valeurs possibles de `list-style-type` (style par défaut : décimal), `counters(nom, chaîne)` ou `counters(nom, chaîne, style)` : avec chaîne séparatrice (par exemple " . " pour obtenir §3 puis § 3.1, 3.2, ...). `open-quote`, `close-quote` : guillemets de début/fin définis par la propriété `quotes`, `no-open-quote`, `no-close-quote` : pas de guillemets, mais un niveau d'imbrication de guillemets est décompté, pour les prochains guillemets qui seront affichés par content, `attr(propriété)` : valeur de l'attribut indiqué de l'élément - chaîne vide si attribut absent.
Héritage	*Non.*

Guillemets à utiliser

La propriété `quotes` sert à définir les types de guillemets qui serviront aux différents niveaux d'imbrication.

Ces guillemets seront utilisables avec la balise `<q>` ou la propriété `content` lorsqu'elle affiche des guillemets ouvrants ou fermants : `content: open-quote;` ou `content: close-quote;`

Tableau 4–20 **Propriété quotes**

Propriété	quotes
Exemples	q { quotes: '"' '"' '"' '"'; } q.guill2 { quotes: "«" "»" "<" ">"; }
Valeurs possibles	Sous forme de chaînes de caractères : • guillemets d'ouverture puis de fermeture, pour le premier niveau de guillemets ; • puis éventuellement guillemets d'ouverture, puis de fermeture pour le deuxième niveau (guillemets imbriqués), etc. • et ainsi de suite pour le nombre de niveaux d'imbrication souhaités.
Héritage	Propriété *héritée*.

Réinitialisation d'un compteur

Il s'agit de remettre à zéro ou d'initialiser à une valeur fixée le compteur dont le nom est indiqué.

Ce compteur sera utilisable par la propriété content.

Tableau 4–21 **Propriété counter-reset**

Propriété	counter-reset
Exemples	h1 { counter-reset: chapitre; } h1.nouveau { counter-reset: numpage -1; }
Valeurs possibles	**Nom du compteur** puis éventuellement **valeur initiale** (si elle est différente de 0) : *nombre entier* positif ou négatif, ou **none** = pas de compteur (c'est la valeur par défaut).
Héritage	*Non.*

> ATTENTION **Réinitialisation de plusieurs compteurs**
>
> Si deux compteurs doivent être réinitialisés pour le même élément, il faut réunir ces deux réinitialisations, en n'écrivant qu'une seule fois la propriété counter-reset. Exemple :
> h1 { counter-reset: page 2 section 1; }

Incrémentation d'un compteur

Chaque fois qu'un compteur est utilisé à l'aide de la propriété `content`, il s'incrémente d'une valeur donnée, qui peut être définie à l'aide de la propriété `counter-increment`.

TABLEAU 4–22 **Propriété counter-increment**

Propriété	`counter-increment`
Exemples	`h2 { counter-increment: chapitre; }` `.instruction { counter-increment: numligne 10; }`
Valeurs possibles	**Nom du compteur** puis éventuellement la **valeur d'incrémentation** (si elle est différente de 1) : nombre entier positif ou négatif, ou **none** = pas d'incrémentation du compteur (valeur par défaut).
Héritage	*Non.*

À NOTER **Ordre des opérations**

L'incrémentation du compteur s'effectue **avant** l'utilisation.

Sens de l'écriture

TABLEAU 4–23 **Propriété direction**

Propriété	`direction`
Exemple	`body { direction: ltr; }` `.yiddish { direction: rtl; }`
Valeurs possibles	`ltr` : de gauche à droite (*left to right*) - valeur par défaut ; `rtl` : de droite à gauche (*right to left*).
Héritage	Propriété *héritée.*

À NOTER **Caractères unicode**

Le sens d'écriture des différents types de caractères **unicode** est reconnu automatiquement. Leur utilisation nous dispense donc de spécifier cette propriété `direction`.

Écriture bidirectionnelle

Cette propriété `unicode-bidi` (texte unicode bidirectionnel) est rarement utilisée ; elle permet d'utiliser plusieurs sens d'écriture dans un même bloc.

Elle peut servir aux amateurs d'exotisme, pour inclure des citations en arabe, farsi, hébreu ou urdu à l'intérieur d'un paragraphe en français...

EXEMPLE **Lignes comprenant des textes français et hébreu**

Cet exemple est inspiré du test de conformité CSS 2 des Éditions Eyrolles :
http://www.editions-eyrolles.com/css2/tests/vfm/vfm14.htm

> Le texte saisi contient les mots français *un*, *deux*, *trois* mélangés aux caractères hébreux *aleph* א (`&#x05d0;`), *beth* ב (`&#x05d1;`) et *tav* ת (`&#x05ea;`).
>
> **Ordre de la saisie**
>
> א **un deux** ב ת **trois**
> soit dans le code : `&#x05d0; un deux &#x05d1; &#x05ea; trois`
>
> **Affichage à l'écran**
>
> • Sans `direction: rtl;` ni `unicode-bidi` : א **un deux** ת ב **trois**
> • Avec `direction: rtl;` sans `unicode-bidi` : א **un deux** ת ב **trois**
> • Avec `direction: rtl;` et les valeurs suivantes pour `unicode-bidi` :
>   - `normal` : א **un deux** ת ב **trois**
>   - `embed` : **trois** ת ב **un deux** א
>   - `bidi-override` : **siort** ת ב **xued nu** א
>
> Noter que les caractères *beth* ב et *tav* ת sont toujours inversés, que les propriétés `direction` et `unicode-bidi`. soient spécifiées ou non.

FIGURE 4-9 *Utilisation de la propriété* `unicode-bidi`

TABLEAU 4-24 **Propriété unicode-bidi**

Propriété	`unicode-bidi`

Exemples	`span.citation { direction: rtl;`
	`                unicode-bidi: embed;}`
	`span.sens2 { direction: rtl;`
	`             unicode-bidi: bidi-override; }`

Valeurs possibles	`normal` (par défaut) : à l'intérieur de chaque groupe de mots homogène, les caractères unicode s'écrivent dans leur sens d'écriture naturel, fonction de la langue et reconnu automatiquement.

TABLEAU 4-24 Propriété unicode-bidi (suite)

	embed : les caractères s'écrivent dans leur sens naturel, les groupes de mots homogènes (composés de caractères qui s'écrivent dans le même sens) sont placés dans l'ordre défini par la propriété direction (voir la figure 4-9). bidi-override : tous les caractères sont écrits les uns après les autres, dans le sens indiqué par la propriété direction.
Héritage	*Non.*

Bordures

Les propriétés de bordures s'appliquent aux blocs de texte et aux éléments remplacés, comme les images.

Style de bordure

TABLEAU 4-25 Propriété border-style

Propriété	`border-style`
Exemples	`h2 { border-style: solid; }` `p.note { border-style: double; }`
Valeurs possibles	`none` (valeur par défaut) ou `hidden` : aucune bordure, `solid` : trait plein, `dotted` : pointillés, `dashed` : tirets, `double` : trait plein double, `groove` : en creux, `ridge` : en relief, `inset` : creux ombré, `outset` : relief ombré. Voir la figure 4-10.
Héritage	*Non.*

> **ATTENTION Propriété obligatoire pour afficher une bordure**
>
> La valeur initiale de `border-style` étant `none`, il est indispensable de préciser un style de bordure pour qu'elle s'affiche.
> Donner une épaisseur et une couleur de bordure ne changera rien à l'affichage, tant qu'un style de bordure n'a pas été défini.

PRÉCISION **Différence entre none et hidden**

C'est dans les tableaux qu'il existe une différence entre none et hidden :

- none = aucune bordure, sauf si une cellule voisine en possède une ;
- hidden = aucune bordure, dans tous les cas.

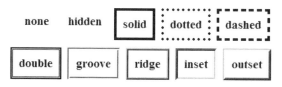

FIGURE 4-10 *Différents types de bordures*

Styles de bordure pour chaque côté

Il existe quatre propriétés distinctes pour définir un style de bordure sur chacun des quatre côtés de l'élément concerné.

TABLEAU 4-26 **Style de bordure pour chaque côté**

Propriétés	
	border-top-style : style de la bordure du haut, border-right-style : style de la bordure de droite, border-bottom-style : style de la bordure du bas, border-left-style : style de la bordure de gauche.

RACCOURCI **Utilisation de border-style pour détailler chaque côté**

La propriété générale border-style peut être utilisée pour préciser le style de bordure sur chaque côté :

- avec **deux valeurs** : ① haut et bas, ② droite et gauche
  ```
  p { border-style: solid double; }
  ```
- avec **trois valeurs** : ① haut et bas, ② droite et gauche, ③ bas
  ```
  p { border-style: dashed solid dotted; }
  ```
- avec **quatre valeurs** : ① haut , ② droite, ③ bas, ④ gauche
  ```
  p { border-style: dashed dotted
                    solid double; }
  ```

Épaisseur de bordure

Tableau 4-27 Propriété border-width

Propriété	border-width
Exemple	`p.note { border-width: 2px; }`
Valeurs possibles	`thin` = bordure fine, `medium` = bordure moyenne, `thick` = bordure épaisse ou **valeur numérique** en **em**, **px**, ... (mais pas en %)
Héritage	*Non.*

Épaisseur de bordure pour chaque côté

Il existe quatre propriétés distinctes pour définir l'épaisseur de bordure sur chacun des quatre côtés de l'élément concerné.

Tableau 4-28 Épaisseur de bordure pour chaque côté

Propriétés	`border-top-width` : épaisseur de la bordure du haut, `border-right-width` : épaisseur de la bordure de droite, `border-bottom-width` : épaisseur de la bordure du bas, `border-left-width` : épaisseur de la bordure de gauche.

> **Raccourci**
>
> **Utilisation de** `border-width` **pour détailler chaque côté**
>
> La propriété générale `border-width` peut être utilisée pour préciser l'épaisseur de bordure sur chaque côté :
> - avec **deux valeurs** : ① haut et bas, ② droite et gauche
>   `p { border-width: 1em 2em; }`
> - avec **trois valeurs** : ① haut et bas, ② droite et gauche, ③ bas
>   `p { border-width: thin medium thick; }`
> - avec **quatre valeurs** : ① haut , ② droite, ③ bas, ④ gauche
>   `p { border-width: 1px 3px 3px 1px; }`

Couleur de bordure

TABLEAU 4-29 Propriété border-color

Propriété	`border-color`
Exemple	`div.remarque { border-color: gray; }`
Valeurs possibles	**nom de couleur** prédéfini ou **code RVB** ; `transparent` = bordure invisible
Héritage	*Non.*

Couleur de bordure pour chaque côté

Il existe quatre propriétés distinctes pour définir la couleur de bordure sur chacun des quatre côtés de l'élément concerné.

TABLEAU 4-30 Couleur de bordure pour chaque côté

Propriétés	`border-top-color` : couleur de la bordure du haut, `border-right-color` : couleur de la bordure de droite, `border-bottom-color` : couleur de la bordure du bas, `border-left-color` : ouleur de la bordure de gauche.

RACCOURCI

Utilisation de `border-color` **pour détailler chaque côté**

La propriété générale `border-color` peut être utilisée pour préciser la couleur de bordure sur chaque côté :

- avec **deux valeurs** : ① haut et bas, ② droite et gauche
  `p { border-color: blue red; }`
- avec **trois valeurs** : ① haut et bas, ② droite et gauche, ③ bas
  `p { border-color: blue gray green; }`
- avec **quatre valeurs** : ① haut , ② droite, ③ bas, ④ gauche
  `p { border-color: blue gray gray blue; }`

Raccourci pour toutes les propriétés de bordure

L'ensemble des propriétés qui définissent les bordures (épaisseur, style et couleur) peut être déclaré à l'aide du raccourci `border`.

TABLEAU 4–31 **Propriété raccourcie border**

Propriété	border
Exemple	`h2.chapitre { border: 5px gray groove; }`
Valeurs possibles	Toutes les valeurs des propriétés `border-width` (facultative), `border-style` (obligatoire) et `border-color` (facultative).
Héritage	*Non.*

IMPORTANT **Valeurs absentes pour la propriété `border`**

Les valeurs qui ne sont pas fournies dans la propriété `border`, parmi épaisseur, style et couleur de bordure, sont initialisées à leur valeur par défaut.

Il en résulte que le style de bordure est obligatoire, sa valeur par défaut étant `none` (pas de bordure, quelles que soient l'épaisseur et la couleur choisies).

Raccourci des propriétés de bordure pour chaque côté

Il existe quatre raccourcis distincts pour définir les propriétés de bordure sur chacun des quatre côtés de l'élément concerné.

TABLEAU 4–32 **Raccourcis des propriétés de bordure pour chaque côté**

Propriétés	`border-top` : propriétés de la bordure du haut, `border-right` : propriétés de la bordure de droite, `border-bottom` : propriétés de la bordure du bas, `border-left` : propriétés de la bordure de gauche.
Exemple	`.titre { border-top: 3px solid red;` `        border-right: 1px dotted red;}`

TABLEAU 4–32 Raccourcis des propriétés de bordure pour chaque côté (suite)

Valeurs possibles	Toutes les valeurs des propriétés `border-width` (facultative), `border-style` (obligatoire) et `border-color` (facultative).
Héritage	*Non.*

Contour superposé à un élément

La propriété `outline` affiche une bordure qui se superpose à l'élément, sans augmenter ses dimensions.

Les propriétés utilisables sont les suivantes :

- `outline-style` : mêmes valeurs que `border-style`, sauf `hidden` ;
- `outline-width` : mêmes valeurs que `border-width` ;
- `outline-color` : mêmes valeurs que `border-color`, plus la valeur `invert` (inverse de la couleur de fond)
- `outline` : raccourci pour `outline-width`, `outline-style` et `outline-color`.

> À NOTER **Héritage et interprétation**
> - Ces propriétés `outline`, `outline-width`, `outline-style`, `outline-color` ne sont *pas héritées*.
> - Elles sont interprétées par Firefox depuis sa version 1.5, mais ne sont pas prises en compte par Internet Explorer 6 et 7.

Images et couleurs d'arrière-plan

Les propriétés suivantes s'appliquent aux blocs de texte et aux éléments remplacés, comme les images.

Elles servent à agrémenter l'arrière-plan de l'élément concerné, soit d'une image, soit d'une couleur unie. Attention cependant à éviter une cacophonie de couleurs !

Couleur d'arrière-plan

TABLEAU 4–33 Propriété background-color

Propriété	`background-color`
Exemple	`p.relief { background-color: yellow; }`
Valeurs possibles	**nom de couleur** prédéfini ou **code RVB** ; `transparent` (valeur par défaut).
Héritage	Cette propriété n'est *pas héritée*, mais la valeur par défaut `transparent` laisse voir la couleur de l'élément conteneur ou qui se trouve en-dessous.

Image d'arrière-plan

TABLEAU 4–34 Propriété background-image

Propriété	`background-image`

Exemples	`body {background-image:`
	`        url(images/maison.png);}`
	`.pub {background-image:`
	`        url(http://www.sncf.com/logo.gif);}`

Valeurs possibles	`url`(nom d'image avec chemin relatif ou absolu) ou `none` : aucune image (valeur par défaut).
Héritage	*Non.*

À NOTER **Guillemets autour des noms de fichiers images**

Grâce aux parenthèses de `url(...)`, les guillemets ou apostrophes, qui logiquement entourent le nom de fichier image ou d'URL, sont *facultatifs*.

Répétition ou non de l'image d'arrière-plan

TABLEAU 4-35 **Propriété background-repeat**

Propriété	background-repeat
Exemples	`body { background-repeat: repeat; }` `.pub { background-repeat: no-repeat; }`
Valeurs possibles	`repeat` : répétition horizontale et verticale (valeur par défaut). `repeat-x` : répétition horizontale seulement. `repeat-y` : répétition verticale seulement. `no-repeat` : pas de répétition.
Héritage	*Non.*

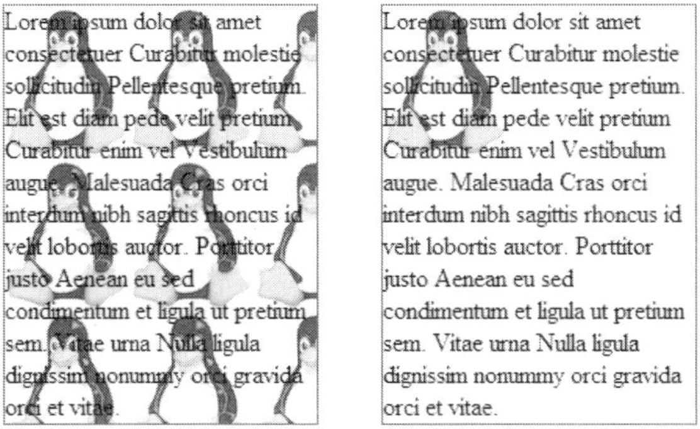

FIGURE 4-11 *Image d'arrière-plan plus petite que le bloc, avec répétition (valeur par défaut), puis avec la propriété* `background-repeat: no-repeat`

Alignement de l'image d'arrière-plan

Il est possible de préciser la position horizontale et la position verticale de l'image d'arrière-plan à l'intérieur de l'élément qui la contient.

Cette position est exprimée par rapport aux bords de l'élément.

Tableau 4-36 Propriété background-position

Propriété	background-position
Exemples	body { background-position: center top; } .pub { background-position: left center; }
Valeurs possibles	Une ou deux valeurs, données par des noms ou des nombres (dimension relative ou absolue, souvent exprimée en %). Première valeur pour l'alignement horizontal : left, center (valeur par défaut), right ou nombre (0% = left, 100% = right). Deuxième valeur pour l'alignement vertical : top, center (valeur par défaut), bottom ou nombre (0% = top, 100% = bottom).
Pourcentage	% de la taille de la boîte elle-même.
Héritage	*Non.*

À NOTER **Utilisation de nombres pour background-position**
- Ne mélangez pas positions fixe (10px) et relative (20%).
- Il est possible d'indiquer des nombres négatifs, pour « rogner » l'image.

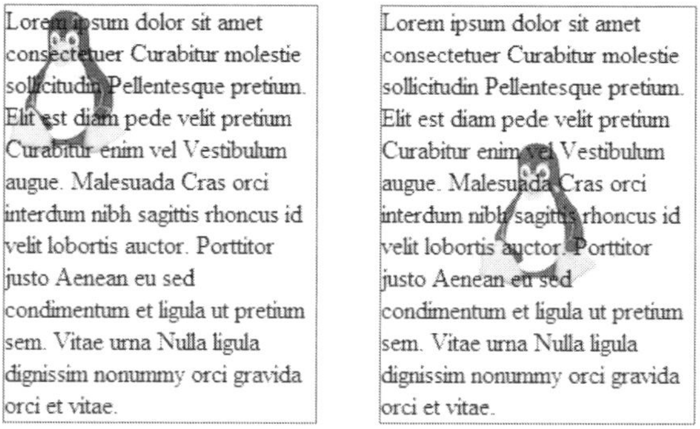

FIGURE 4-12 *Image d'arrière-plan dans sa position par défaut (coin supérieur gauche), puis placée au centre du bloc.*

Fixation de l'image d'arrière-plan

Il s'agit d'indiquer si l'image d'arrière-plan est attachée au contenu de la page ou si elle doit rester fixe à l'écran.

TABLEAU 4-37 **Propriété background-attachment**

Propriété	`background-attachment`
Exemples	`body { background-attachment: scroll; }` `.pub { background-atachment: fixed; }`
Valeurs possibles	`scroll` : l'image défile avec le contenu (valeur par défaut) ; `fixed` : l'image reste fixe lors du défilement, seul défile le contenu qui est au premier plan.
Héritage	*Non.*

Raccourcis pour les arrière-plans

Comme pour les bordures, il existe une propriété raccourcie pour l'image d'arrière-plan et ses caractéristiques.

TABLEAU 4-38 **Raccourci background**

Propriété	`background`
Exemple	`h1 { background: blue url(logo.png)` `                50% repeat-x fixed; }`
Valeurs possibles	Valeurs de `background-color`, `background-image`, `background-repeat`, `background-attachment`, `background-position` dans un ordre quelconque.
Héritage	*Non.*

Listes à puces ou numérotées

Voici comment appliquer à une liste des types de puces, des images en guise de puces ou des numéros.

Type de puce ou de numérotation

La propriété `list-style-type` indique quel type générique de puce ou quel mode de numérotation il faut utiliser pour la liste concernée.

Tableau 4-39 Propriété list-style-type

Propriété	list-style-type
Exemples	ul { list-style-type: square; } ol { list-style-type: upper-roman; }
Valeurs possibles	*Liste à puces*: `disc` (cercle plein - valeur par défaut), `circle` (cercle vide), `square` (carré plein). *Liste numérotée*: `decimal` (1, 2...- valeur par défaut), `decimal-leading-zero` (01, 02...), `lower-roman` (i,ii...), `upper-roman` (I,II...), `georgian`, `armenian`, `lower-latin` = `lower-alpha` (a, b, c...), `upper-latin` = `upper-alpha` (A, B, C...), `lower-greek` (α, β,γ ...). *Pas de puce ni de numéro*: `none`.
Héritage	Propriété *héritée*. Retour à la valeur initiale: `disc` ou `decimal`.

Utilisation d'une image comme puce

N'importe quelle image peut être utilisée comme puce, à condition bien sûr que sa taille, sa forme et sa couleur conviennent pour un tel usage.

Tableau 4-40 Propriété list-style-image

Propriété	list-style-type

Exemples	ul { list-style-image:
	     url(image/puce.gif); }
	li { list-style-image:
	     url(http://www.top.org/logo.gif);}

Valeurs possibles	`url`(nom d'image avec chemin relatif ou absolu) ou `none`: aucune image (valeur par défaut).

TABLEAU 4-40 Propriété list-style-image (suite)

Héritage	Propriété *héritée*. Pour retrouver la valeur initiale, utiliser none.

À NOTER **Guillemets facultatifs**

Comme pour la propriété background-image, les guillemets ou apostrophes autour du nom de fichier image ou d'URL sont *facultatifs*, car il y a les parenthèses de url(...),

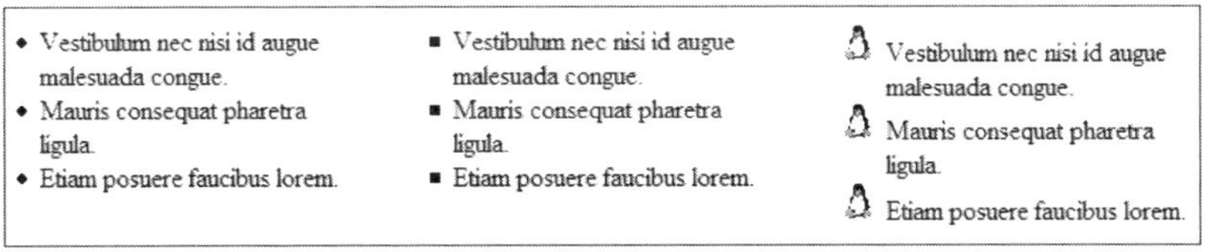

FIGURE 4-13 *Listes avec différentes puces : disque plein (par défaut), carré plein* (list-style-type: square) *et image (avec la propriété* list-style-image*)*

Position de la puce

La puce, l'image qui la remplace ou le numéro se trouvera, suivant la valeur de la propriété list-style-position et comme le montre la figure 4-14 :

- soit à gauche du paragraphe (c'est la configuration standard) ;
- soit à l'intérieur du paragraphe, avec dans ce cas un retrait de première ligne.

TABLEAU 4-41 **Propriété list-style-position**

Propriété	list-style-position
Exemples	ul { list-style-position: outside; } ol { list-style-position: inside; }
Valeurs possibles	outside : la puce est dans la marge (valeur par défaut) ; inside : la puce fait partie de la première ligne du paragraphe.
Héritage	Propriété *héritée*. Retour à la valeur initiale avec outside.

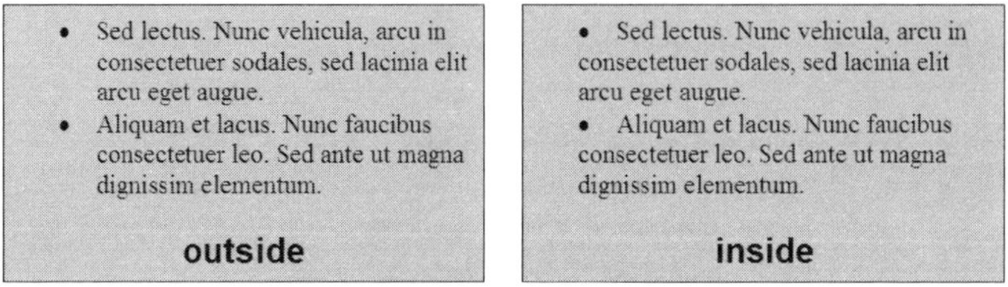

• Sed lectus. Nunc vehicula, arcu in consectetuer sodales, sed lacinia elit arcu eget augue. • Aliquam et lacus. Nunc faucibus consectetuer leo. Sed ante ut magna dignissim elementum. **outside**	• Sed lectus. Nunc vehicula, arcu in consectetuer sodales, sed lacinia elit arcu eget augue. • Aliquam et lacus. Nunc faucibus consectetuer leo. Sed ante ut magna dignissim elementum. **inside**

FIGURE 4–14 *Puces à l'intérieur ou à l'extérieur des paragraphes*

Raccourci pour toutes les propriétés de liste

L'ensemble des propriétés qui permettent de paramétrer les listes (type de puce ou de numérotation, fichier image remplaçant les puces, position des puces ou numéros) peut être défini à l'aide du raccourci `list-style`.

TABLEAU 4–42 **Propriété raccourcie list-style**

Propriété	`list-style`
Exemple	`li { list-style: circle inside; }`
Valeurs possibles	Toutes les valeurs (facultatives) de `list-style-type`, `list-style-image` et `list-style-position`.
Héritage	Cette propriété est *héritée*, comme chacune des propriétés dont elle est un raccourci.

Les tableaux

Les propriétés de style qui suivent permettent de préciser la mise en forme des tableaux. Rappelons à cette occasion qu'en XHTML, les tableaux ne sont pas utilisés pour la mise en page : voir plus loin le chapitre sur le positionnement.

Largeur fixe ou variable des colonnes ou du tableau

Par défaut, les largeurs de colonne d'un tableau sont automatiques : elles s'adaptent à leur contenu.

Tableau 4-43 **Propriété table-layout**

Propriété	`table-layout`
Exemple	`table { table-layout: fixed; }`
Valeurs possibles	`auto` : largeur automatique (valeur par défaut) ou `fixed` : largeur fixe.
Héritage	Propriété *héritée*. Pour retrouver la valeur initiale, utiliser `auto`.

> À NOTER **Dimension du tableau avec fixed**
>
> Avec la valeur `fixed`, la table prend toute la largeur disponible (sur la page ou dans son conteneur), sauf si une dimension est indiquée avec `width`.

Recouvrement des bordures

La propriété `border-collapse` sert à indiquer s'il y aura fusion ou non des bordures qui se touchent dans le tableau (voir la figure 4-15) :

- bordures contiguës de deux cellules voisines ;
- bordure d'une cellule en bord de tableau avec la bordure de la table.

Tableau 4-44 **Propriété border-collapse**

Propriété	`border-collapse`
Exemple	`table, td { border: solid 1px red;` `            border-collapse: collapse; }`
Valeurs possibles	`collapse` : fusion des bordures, `separate` : distinction des bordures (voir la figure 4-15).
Héritage	Propriété *héritée*.

ATTENTION **Valeur par défaut**

La valeur par défaut de la propriété `border-collapse` est `collapse` en CSS 2, et `separate` en CSS 2.1. Il est donc préférable de toujours en spécifier explicitement la valeur, quelle qu'elle soit.

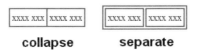

collapse   **separate**

FIGURE 4–15 *Fusion ou recouvrement des bordures avec* `border-collapse`

Espacement entre les bordures de cellules

Cet espacement, réglable à l'aide de la propriété `border-spacing`, ne vaut que pour les cellules dont les bordures sont distinctes, donc pour lesquelles la propriété `border-collapse` a pour valeur `separate`.

TABLEAU 4–45 Propriété border-spacing

Propriété	`border-spacing`

Exemples	`table { border-collapse: separate;`
	`        border-spacing: 5px; }`
	
	`table { border-collapse: separate;`
	`        border-spacing: 2px 5px; }`

Valeurs possibles	Un ou deux **nombres positifs**, dans les mêmes unités que les tailles de polices (px, em, ex) sauf %. **Une valeur** : espacement pour toutes les bordures. **Deux valeurs** : espacement *horizontal* et espacement *vertical*.
Héritage	Propriété *héritée*.

ATTENTION **Navigateur récalcitrant**

Cette propriété `border-spacing` n'est pas prise en compte par Internet Explorer 6 et 7.

largeur de la table

bordure de
la table

bordure de
cellule

espace vertical
entre bordures

largeur de
cellule

espace horizontal
entre bordures

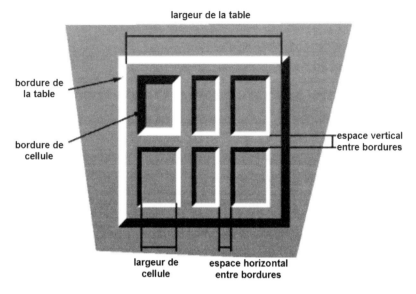

Figure 4-16 *Schéma d'après la traduction des normes CSS 2 du W3C :*
http://www.yoyodesign.org/doc/w3c/css2/tables.html#propdef-border-spacing

Contour des cellules vides

Afficher ou masquer le contour des cellules vides, voilà ce que va indiquer
la propriété `empty-cells`, uniquement dans le cas où les bordures sont
distinctes (`border-collapse: separate;`).

Tableau 4-46 Propriété empty-cells

Propriété	`empty-cells`
Exemple	`table { border-collapse: separate;` `            empty-cells: show; }`
Valeurs possibles	`show` = afficher (valeur par défaut) ou `hide` = masquer.
Héritage	Propriété *héritée*. Pour retrouver la valeur initiale, utiliser `show`.

> **ATTENTION Compréhension par les navigateurs**
>
> Cette propriété `empty-cells` n'est pas prise en compte par Internet Explorer 6 et 7.

Position du titre du tableau

Il s'agit du titre du tableau, écrit à l'intérieur de l'élément `<table>` à l'aide de la balise `<caption>`.

Cette légende se trouve initialement au-dessus du tableau, mais il est possible de la placer au-dessous.

TABLEAU 4–47 Propriété caption-side

Propriété	`caption-side`
Exemple	`caption { caption-side: bottom; }`
Valeurs possibles	`top` : titre au-dessus du tableau (valeur par défaut), `bottom` : titre sous le tableau.
Héritage	*Non.*

> **ATTENTION Navigateurs et normes**
>
> Cette propriété `caption-side` n'est pas prise en compte par Internet Explorer 6 et 7. Dans ces deux versions, le titre du tableau est toujours placé au-dessus.

Alignement sur la virgule

Déjà vue dans les propriétés des blocs de texte, `text-align` précise l'alignement horizontal du texte, dans une cellule de tableau comme dans un paragraphe.

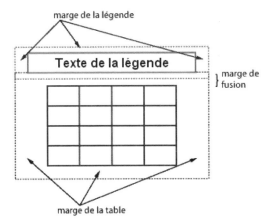

FIGURE 4–17 *Un tableau et sa légende, d'après les normes du W3C traduites :*
http://www.yoyodesign.org/doc/w3c/css2/tables.html#propdef-caption-side

Il est également possible d'aligner le texte sur un caractère donné ; le choix de " , " pour ce caractère permet l'alignement de nombres sur la virgule.

TABLEAU 4–48 Propriété text-align utilisée dans les tableaux

Propriété	`text-align`
Exemples	`td.nombre { text-align: ","; }` `td.montant { text-align: "&euro;"; }`
Valeurs possibles	**Chaîne de caractères** : "," pour l'alignement sur la virgule, `left` : aligné à gauche (valeur par défaut), `right` : aligné à droite, `center` : centré, `justify` : justifié.
Héritage	Propriété *héritée*. Pour retrouver la valeur initiale, utiliser `left`.

Alignement vertical des cellules

Il s'agit d'indiquer quel doit être l'alignement d'une cellule par rapport à la rangée de cellules dont elle fait partie, lorsque la taille de cette rangée est supérieure à celle de la cellule.

TABLEAU 4-49 **Propriété vertical-align**

Propriété	`vertical-align`
Exemples	`.commentaire { vertical-align: top; }` `.titre { vertical-align: middle; }`
Valeurs possibles	`baseline` : alignement normal sur la première ligne (valeur par défaut), `top` : alignement sur le haut de la rangée de cellules, `middle` : alignement au milieu de la rangée, `bottom` : alignement sur le bas de la rangée.
Héritage	Propriété *héritée*. Pour retrouver la valeur initiale, utiliser `baseline`.

La ligne de base d'une rangée de cellules (sur laquelle se "poseront" les lettres de la première ligne) est la même pour toutes les cellules d'une même ligne. Dans la figure 4-18, la première ligne de la boîte de la cellule 2 est la plus haute des premières lignes de cellules, donc c'est elle qui détermine la "ligne de base" de la rangée.

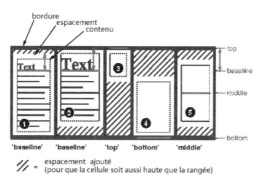

FIGURE 4-18 *Alignement vertical de cellules dans une rangée, d'après la page :*
http://www.yoyodesign.org/doc/w3c/css2/tables.html#height-layout (le site
http://www.yoyodesign.org traduit une partie du site du W3C : http://www.w3.org)

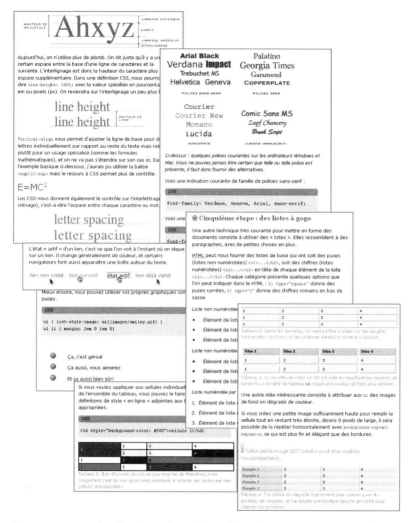

Figure 4-19 *Exemples de mise en forme (texte, liens, liste à puces, tableaux, ...)*
extraits du site http://www.pompage.net, rubrique : "CSS, on reprend tout à zéro !",
traduction d'articles de Joe Gillespie publiés sur http://www.wpdfd.com

Une démonstration de ce qu'on peut accomplir lorsqu'on utilise les CSS pour la conception web. Sélectionnez n'importe quelle feuille de style listée pour charger le résultat sur cette page.

CSS Zen Garden

The Beauty of CSS Design

Téléchargez les fichiers d'exemple html et css

Séléct a design

❧ **Love Is In The Air**
by Nele Goetz

❧ **Greece Remembrance**
by Pierre-Léo Bourbonnais

❧ **Hengarden**
by Mr. Khmerang

❧ **Hoops - Tournament Edition**
by David Marshall Jr.

❧ **Obsequience**
by Pierce Gleeson

❧ **Red Paper**
by Rob Soule

❧ **Chien**
by Alex Miller

❧ The Road to Enlightenment

Les reliques passées des sélecteurs spécifique aux navigateurs, des **DOM**s incompatibles, et du manque de support des **CSS** encombrent un long chemin sombre et morne.

Aujourd'hui, nous devons nous clarifier l'esprit et nous débarassez des pratiques passées. La révélation de la véritable nature du Web est maintenant possible, grâce aux efforts infabgables des gens du **W3C**, du **WaSP** et des créateurs des principaux navigateurs.

Le Jardin Zen css vous invite à vous relaxer et à méditer sur les leçons importantes des maîtres. Commencez à voir clairement. Apprenez à utiliser ces techniques (bientôt consacrées par l'usage) de manière neuve et revigorante. Ne faites qu'Un avec le Web.

❧ So What is This About?

Positionnement
des blocs

En CSS, la mise en page consiste
à placer les blocs de texte et les images
comme des boîtes imbriquées,
juxtaposées ou superposées
dans la page.

Fini, l'embrouillamini des tableaux dans les tableaux ! Les feuilles de style nous proposent une méthode claire pour la mise en page : elle consiste à placer les éléments dans la page ou dans leur bloc conteneur.

Toutefois, il faudra auparavant définir les dimensions et les marges, intérieures et extérieures, de chaque élément.

Marges et dimensions d'un bloc

Il est important de comprendre comment sont calculées les dimensions des « boîtes », c'est-à-dire des blocs contenant texte et images.

Les dimensions d'une boîte peuvent être fixées, ainsi que ses marges intérieures (à l'intérieur des bordures) et ses marges extérieures (à l'extérieur des bordures).

Marges externes autour d'un bloc

Les marges extérieures d'un bloc sont situées au-delà de ses bordures. Elles servent à espacer les blocs entre eux.

TABLEAU 5–1 **Propriétés définissant les marges extérieures**

Propriétés	`margin-left, margin-right, margin-top, margin-bottom`
Exemples	`p { margin-left: 4em; margin-right: 3em; }` `p { margin-top: 5px; margin-bottom: 6px; }`
Valeurs possibles	`auto`, **taille relative** (conseillée) en **em, ex, %, px** ou **taille fixe** en **pt, pc, cm, mm, in**.
Pourcentages	% de la **largeur** du bloc conteneur, même pour `margin-top` et `margin-bottom`.
Héritage	*Non.*

À NOTER **Utilisation des marges externes**

- Pour les blocs juxtaposés ou imbriqués, les marges mitoyennes sont confondues : par exemple, la marge inférieure d'un bloc et la marge supérieure du bloc suivant sont fusionnées. Cependant, ce n'est pas le cas pour les blocs flottants ou positionnés.
- La valeur `auto` s'utilise avec `margin-left` et `margin-right` : elle signifie que ces deux marges doivent être égales, ce qui revient à centrer l'élément concerné dans son bloc conteneur.
- Les marges externes peuvent être négatives, ce qui sert à superposer des blocs.
- Les éléments en ligne n'ont pas de marge supérieure, ni inférieure ; pour les marges de gauche et de droite, la valeur `auto` correspond à 0.

Raccourci pour les marges externes

La propriété `margin` simplifie la définition des marges externes, en remplaçant les quatre propriétés précédentes.

TABLEAU 5-2 **Propriété raccourcie margin**

Propriété	`margin`

Exemples	`p { margin: 0; }`
	`p { margin: 3em 5em; }`
	`p { margin: 5% 10% 8%; }`
	`p { margin: 15px 10px 20px 15px; }`

Valeurs possibles	**Une valeur** : définit toutes les marges extérieures. **Deux valeurs** : ① marges du haut et du bas égales, ② marges de gauche et de droite égales **Trois valeurs** : ① marge du haut, ② marges de gauche et de droite égales, ③ marge du bas **Quatre valeurs** : ① marge du haut, ② marge de droite, ③ marge du bas, ④ marge de gauche.
Pourcentages	% de la **largeur** du bloc conteneur, même pour les marges du haut et du bas.
Héritage	*Non.*

> ASTUCE **Ordre des propriétés**
>
> Pour les marges extérieures ou intérieures comme pour les bordures, il est pratique de noter l'ordre dans lequel elles sont définies, en commençant par le haut et en tournant dans le sens des aiguilles d'une montre : haut - droite - bas - gauche.

Marges internes d'un bloc

Les marges internes d'un bloc se trouvent à l'intérieur de ses bordures. Leur présence évite que le texte ne soit collé au cadre du bloc qui le contient.

TABLEAU 5–3 **Propriétés définissant les marges intérieures**

Propriétés	`padding-left, padding-right,` `padding-top, padding-bottom`
Exemples	`p { padding-left: 20px; padding-right: 15px; }` `p { padding-top: 5%; padding-bottom: 10%; }`
Valeurs possibles	**Valeur de taille relative** (conseillée) en **em, ex, %, px** ou de **taille fixe** en **pt, pc, cm, mm, in.**
Pourcentages	% de la **largeur** du bloc conteneur, même pour `padding-top` et `padding-bottom`.
Héritage	*Non.*

> À NOTER **Utilisation des marges internes**
>
> • La valeur par défaut des marges internes est 0.
> • Les marges internes ne peuvent pas être négatives.
> • La valeur `auto` n'existe pas pour les marges intérieures.
> • Les éléments en ligne n'ont pas de marge supérieure, ni inférieure.

Raccourci pour les marges internes

La propriété `padding` simplifie la définition des marges internes, en remplaçant les quatre propriétés précédentes.

TABLEAU 5-4 Propriété raccourcie padding

Propriété	padding

Exemples	`p { padding: 5ex; }`
	`p { padding: 10px 0; }`
	`p { padding: 2em 1em 3em; }`
	`p { margin: 5% 8% 6% 10%; }`

Valeurs possibles	**Une valeur** : définit toutes les marges intérieures. **Deux valeurs** : ① marges du haut et du bas égales, ② marges de gauche et de droite égales **Trois valeurs** : ① marge du haut, ② marges de gauche et de droite égales, ③ marge du bas **Quatre valeurs** : ① marge du haut, ② marge de droite, ③ marge du bas, ④ marge de gauche.
Pourcentages	% de la **largeur** du bloc conteneur, même pour les marges du haut et du bas.
Héritage	*Non.*

Largeur fixe pour un bloc ou une image

TABLEAU 5-5 Propriété width

Propriété	width
Exemples	`div { width: 300px; }` `.menu { width: 20%; }`
Valeurs possibles	`auto` (par défaut), **taille relative** (conseillée) en **em, ex, %, px** ou **taille fixe** en **pt, pc, cm, mm, in.**
Pourcentages	% de la **largeur** du bloc conteneur.
Héritage	*Non.*

ATTENTION **Utilisation de width**

- Les valeurs de `width` ne peuvent pas être négatives.
- Internet Explorer 6 interprète `width` comme une largeur minimum, au lieu d'une largeur fixe. En revanche, Firefox et Internet Explorer 7 respectent la norme.

Hauteur fixe pour un bloc ou une image

TABLEAU 5-6 Propriété height

Propriété	height
Exemples	`div { height: 50%; }` `img#logo { height: 10em; }`
Valeurs possibles	`auto` (par défaut), **taille relative** (conseillée) en **em, ex, %, px** ou **taille fixe** en **pt, pc, cm, mm, in**.
Pourcentages	% de la **hauteur** du bloc conteneur si celle-ci est fixée, sinon c'est la valeur `auto` qui est appliquée.
Héritage	*Non.*

> ATTENTION **Utilisation de height**
> - Les valeurs de `height` ne peuvent pas être négatives.
> - Internet Explorer 6 interprète `height` comme une hauteur minimum, au lieu d'une hauteur fixe. En revanche, Firefox et Internet Explorer 7 respectent la norme.

Largeur et hauteur totales d'un bloc

Le modèle de boîte de la figure 5-1 montre comment calculer la largeur et la hauteur totales d'un bloc.

Pour obtenir la **largeur totale** d'un bloc, il faut additionner :

- les marges extérieures de gauche et de droite : `margin-left` + `margin-right` ;
- deux fois l'épaisseur de la bordure : `2 × border-width` ;
- les marges intérieures de gauche et de droite : `padding-left` + `padding-right` ;
- la largeur du contenu : `width`.

Pour obtenir la **hauteur totale** d'un bloc, il faut additionner :

- les marges extérieures du haut et du bas : `margin-top` + `margin-bottom` ;

- deux fois l'épaisseur de la bordure : 2 × `border-width` ;
- les marges intérieures du haut et du bas : `padding-top` + `padding-bottom` ;
- la hauteur du contenu : `height`.

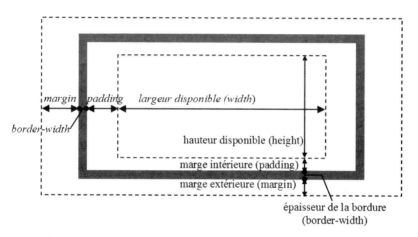

FIGURE 5-1 *Dimensions des boîtes*

Lorsque les marges horizontales sont égales, le calcul de la largeur totale est plus simple :

```
Largeur totale = 2 × (margin + border-width +
padding) + width.
```

Il en est de même pour le calcul de la hauteur totale, lorsque les marges verticales sont égales :

```
Hauteur totale = 2 × (margin + border-width +
padding) + height.
```

Problèmes de marges avec Internet Explorer 6

Internet Explorer 6 (IE 6 pour les habitués) ne respecte pas certaines normes du W3C, entre autres en ce qui concerne les dimensions des boîtes. En effet, il inclut les marges intérieures dans `width` et `height` :

```
Largeur totale pour IE6 = margin-left + width +
                          margin-right
Hauteur totale pour IE6 = margin-top + height +
                          margin-bottom
```

Il existe une méthode de contournement, pour résoudre cette question et obtenir un rendu identique de la page web, quel que soit le navigateur : elle consiste à remplacer les marges intérieures d'un bloc par des marges intérieures appliquées à tous les éléments qu'il contient.

Exemple de code HTML à mettre en forme :

```
<div id="fretin">
  <p>Poissons de mer</p>
  <p>Poissons d'eau douce</p>
</div>
```

Le style initial comprend les propriétés suivantes :

```
* { margin: 0; }
div#fretin {
        border: solid 1px;
        width: 180px;
        padding-left: 30px;
}
```

et donne des blocs de largeurs différentes sur Firefox et Internet Explorer 6, comme le montre la figure 5-2.

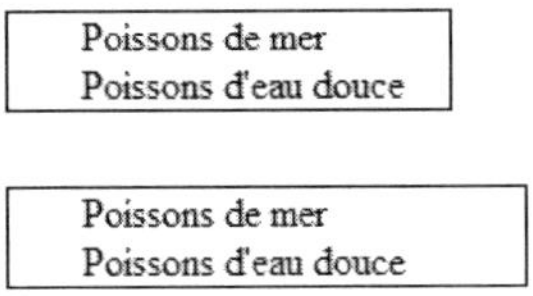

FIGURE 5-2   *Largeurs différentes sur Internet Explorer 6 (en haut) et Firefox (en bas)*

Pour résoudre le problème, il suffit de modifier la feuille de style :

- largeur du bloc `<div>` augmentée de 30 pixels pour compenser la suppression de la marge interne `padding-left` ;
- marge externe `margin-left` de 30 pixels pour les paragraphes `<p>` inclus dans le bloc `<div>`, pour remplacer la marge interne de ce bloc.

La nouvelle feuille de style comprend donc les propriétés suivantes :

```
* { margin: 0; }
div#fretin {
        border: solid 1px;
        width: 210px;
}
div#fretin p { margin-left: 30px; }
```

et donne des blocs de même largeur avec Firefox et Internet Explorer 6 (voir la figure 5-3).

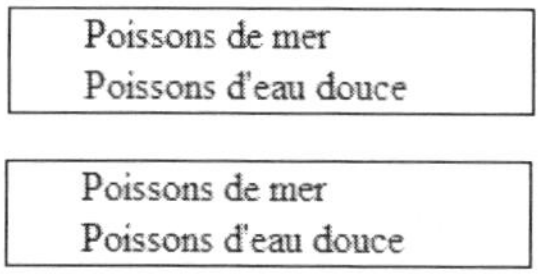

FIGURE 5-3 *Affichage identique sur Internet Explorer (en haut) et sur Firefox (en bas)*

> À NOTER **Marges extérieures initialisées à zéro**
>
> La règle de style : `* { margin: 0; }` qui est utilisée dans cet exemple débute souvent une feuille de style et met à zéro les marges externes de tous les éléments de la page web. En effet, la valeur par défaut `auto` pour les marges externes est interprétée de différentes façons par les navigateurs. La mise à zéro de ces marges résoud le problème.

Largeur ou hauteur minimum

Les propriétés `min-width` et `min-height` définissent respectivement la largeur et la hauteur minimum d'un bloc.

TABLEAU 5–7 **Propriétés min-width et min-height**

Propriétés	`min-width, min-height`
Exemples	`h1 { min-width: 50%; }` `div.remarque { min-height: 50em; }`
Valeurs possibles	**none** = 0 (valeur par défaut), **taille relative** (conseillée) en **em, ex, %, px,** **taille fixe** en **pt, pc, cm, mm, in.**
Pourcentages	% de la **largeur** du bloc conteneur pour `min-width`, % de la **hauteur** du bloc conteneur pour `min-height`.
Héritage	*Non.*

À NOTER **Valeurs numériques pour min-width et min-height**

Les valeurs numériques attribuées aux propriétés `min-width` et `min-height` doivent être positives.

ATTENTION **Navigateur récalcitrant**

Internet Explorer 6 ne reconnaît pas les propriétés `min-width` et `min-height`. Voir le chapitre sur les solutions de contournement pour Internet Explorer. En revanche, Firefox et la version 7 d'Internet Explorer interprètent ces propriétés.

Largeur ou hauteur maximum

Les propriétés `max-width` et `max-height` limitent respectivement la largeur et la hauteur d'un bloc.

À NOTER **Valeurs numériques pour max-width et max-height**

Les valeurs numériques attribuées aux propriétés `max-width` et `max-height` doivent être positives.

TABLEAU 5-8 **Propriétés max-width et max-height**

Propriétés	`max-width`, `max-height`
Exemples	`p { max-width: 80%; }` `#extraits { max-height: 200px; }`
Valeurs possibles	**none** : pas de limite (valeur par défaut), **taille relative** (conseillée) en **em, ex, %, px**, **taille fixe** en **pt, pc, cm, mm, in.**
Pourcentages	% de la **largeur** du bloc conteneur pour `max-width`, % de la **hauteur** du bloc conteneur pour `max-height`.
Héritage	*Non.*

ATTENTION **Navigateur récalcitrant**

Internet Explorer 6 ne reconnaît pas les propriétés `max-width` et `max-height`. Il existe des solutions de remplacement, mais uniquement en Javascript. Firefox et la version 7 d'Internet Explorer interprètent ces propriétés.

Position des éléments

Chaque bloc peut être placé de différentes façons à l'intérieur de la page web : par rapport à d'autres blocs, ou bien à un endroit précis du bloc qui le contient, ou encore fixé sur la page.

Flux normal des éléments

À l'intérieur de chaque bloc, les éléments se placent au fur et à mesure, suivant le flux normal :

- les uns à la suite des autres pour les éléments en ligne :
  `<strong>`, `<em>`, `<span>`, `<img>`, ...
- les uns sous les autres pour les éléments de type bloc :
  `<p>`, `<div>`, `<h2>`, ...

Dans le flux normal, les dimensions d'un bloc sont les suivantes :

- **Largeur par défaut** = largeur disponible dans son bloc conteneur ;
- **Hauteur par défaut** = celle de son contenu, 0 s'il ne contient rien.

Les blocs qui se succèdent dans le flux normal sont séparés entre eux par leurs marges extérieures (ces marges étant fusionnées entre deux blocs).

Principe du positionnement de blocs

Seuls peuvent être positionnés les blocs de texte et les éléments « remplacés », comme les images. Pour positionner des éléments en ligne, il faut les transformer en blocs à l'aide de la propriété `display: block;`

Par positionnement, les blocs peuvent être :

- juxtaposés,
- fixés par rapport à la position de leur bloc conteneur,
- ou encore fixés par rapport à la page.

Le positionnement nous permet de superposer les blocs, comme des *calques*. C'est parfois ce nom que l'on donne à la balise `<div>`, souvent utilisée comme bloc conteneur.

Si les blocs qui sont au premier plan ont un fond transparent (valeur par défaut de la couleur de fond), les blocs situés en dessous restent visibles.

Il est possible de choisir la position des blocs et de modifier l'ordre vertical de superposition, à l'aide de la propriété `z-index` (voir plus loin).

Types de positions possibles

Un bloc peut être positionné de façon **normale**, **relative**, **absolue**, **fixe** ou **flottante**.

Position normale

Lorsque sa position n'est pas précisée, un bloc se place dans le *flux normal* de la page web.

Position relative, absolue ou fixe

Il est possible de placer un élément en indiquant un **décalage** (en haut, en bas, à gauche, à droite) :

- par rapport sa position dans le flux normal : c'est la **position relative** (propriété `position: relative;`) ;
- par rapport au bloc conteneur : c'est la **position absolue** (propriété `position: absolute;`) ;
- par rapport à l'écran : c'est la **position fixe** (propriété `position: fixed;`).

Dans chacun de ces trois cas, il faut indiquer un ou deux décalage(s) :

- à partir du *haut* (par exemple : `top: 2px;`) ou du *bas* (par exemple : `bottom: 10%;`) ;
- à partir de la *gauche* (par exemple : `left: 5em;`) ou de la *droite* (par exemple : `right: 10ex;`).

 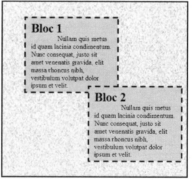

Figure 5-4 *À gauche, les blocs 1 et 2 sont dans le flux normal de la page ; à droite, ces deux blocs sont placés en position absolue à l'intérieur de la page.*

Position flottante

Un élément peut enfin être déclaré « flottant », avec la propriété `float`, qui s'écrit : `float: left;` ou `float: right;`

Le bloc est placé le plus à gauche ou le plus à droite possible, tout en gardant sa position verticale dans la boîte de son conteneur.

Le contenu qui suit encadre alors cette boîte flottante, comme le montre la figure 5-5. S'il y a plusieurs éléments flottants, ils s'alignent côte à côte avec retour à la ligne lorsque c'est nécessaire.

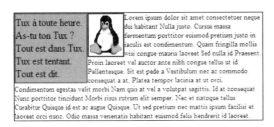

FIGURE 5-5 *Le bloc de texte sur fond gris et l'image sont flottants à gauche. Le texte qui suit habille ces deux blocs.*

IMPORTANT

Hauteur d'un bloc qui contient des éléments flottants

La dimension d'un bloc conteneur ne prend pas en compte celle des éléments flottants qu'il contient : les blocs flottants débordent de leur conteneur.

Le bloc qui suivra risque donc de se superposer aux éléments flottants ou de se trouver à côté d'eux, comme le montre la figure 5-6. Pour éviter cela, il suffit d'attribuer à ce bloc suivant la propriété `clear: both;` qui interdit la présence d'éléments flottants sur le côté (voir plus loin cette propriété).

Seul Internet Explorer 6 agrandit automatiquement le bloc conteneur dans ce cas de figure, Firefox et Internet Explorer 7 respectant la norme.

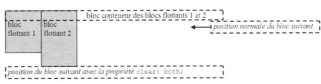

FIGURE 5-6 *Les blocs flottants peuvent déborder de leur conteneur.*

Utilisation des différents types de positionnement

Voici en résumé la façon d'utiliser les différents positionnements disponibles en CSS.

Élément dans le flux (position normale)

- Pas de propriété ou `position: static;`
- Utilisation aussi souvent que possible.
- Les éléments sont affichés en ligne ou les uns sous les autres.

Position relative

- Propriété `position: relative;`
- Pour décaler ou superposer un élément par rapport à ses « frères ».

Position absolue

- Propriété `position: absolute;`
- Pour découper la page en zones, sans utiliser de tableaux.
- Pour disposer à un endroit précis un menu, un encadré, une image...

Position fixe

- Propriété `position: fixed;`
- Pour conserver en permanence un élément à l'écran (il ne bouge pas lors du défilement).
- Pour éviter l'utilisation de cadres (balise `<frame>`).

Élément flottant

- Propriété `float: left;` ou `float: right;`
- Pour placer des éléments côte à côte, en fonction de la place disponible dans la fenêtre d'affichage ou le bloc conteneur.
- Pour habiller une image par du texte, pour une galerie d'images ou une suite de menus...

IMPORTANT **Remarques pour la position absolue**

Un bloc positionné se place par rapport au bloc qui le contient (son conteneur), mais **seulement si celui-ci est lui-même positionné**, que ce soit en position relative ou absolue.

Si ce n'est pas le cas (conteneur dans le flux ou flottant), le bloc à positionner remonte d'ancêtre en ancêtre jusqu'au premier bloc positionné (jusqu'à <body> s'il n'y en a pas) et se place par rapport à lui.

Pour placer en position absolue un bloc dans un autre, il est donc important de vérifier si le conteneur est lui-même positionné. Si ce n'est pas le cas, il faut donner à ce bloc conteneur une position relative avec un décalage nul, ce qui ne modifie pas sa position.

Type de positionnement d'un bloc

TABLEAU 5-9 Propriété position

Propriété	position
Exemples	`p.note {position: relative; left: -5px;}` `#menu {position: absolute; top: 0; right: 10%;}`
Valeurs possibles	`static` : position dans le flux normal (valeur par défaut). `relative` : décalage par rapport à la position dans le flux. `absolute` : position par rapport au bloc conteneur. `fixed` : position par rapport à l'écran.
Héritage	*Non.*

Décalages indiquant la position d'un bloc

Le positionnement utilise les décalages top (haut), bottom (bas), left (gauche) et right (droite).

À NOTER **Décalages top, bottom, left et right**

- Les valeurs négatives sont possibles pour `top`, `bottom`, `left` et `right`.
- Si `top` et `bottom` sont spécifiés ensemble, c'est `top` qui est pris en compte.
- Si `left` et `right` sont spécifiés ensemble, c'est `left` qui est pris en compte.

Tableau 5-10 Propriétés top, bottom, left et right

Propriété	top, bottom, left, right

Exemples	`p.note { position: relative;`
	`        top: 5px; left: 10px;}`
	`div.menu { position: absolute;`
	`        top: 30%; right: 20%;}`
	`#remarque {position: relative; top: 2em;}`

Valeurs possibles	**none** : pas de décalage (valeur par défaut), **valeur relative** (conseillée) en **em, ex, %, px,** **valeur fixe** en **pt, pc, cm, mm, in.**
Héritage	*Non.*

Niveau d'empilement des blocs

Tableau 5-11 Propriété z-index

Propriété	z-index
Exemples	`.menu { z-index: 10; }` `p#exemple { z-index: -5; }`
Valeurs possibles	**auto** : même niveau d'empilement que la boîte parent (valeur par défaut) ou **nombre entier** positif, nul ou négatif.
Héritage	*Non.*

À noter **Utilisation de la propriété z-index**

- Plus la valeur de z-index est élevée, plus le bloc se trouve en haut dans la superposition des blocs.
- La transparence du fond (valeur par défaut de `background-color`) permet de voir le contenu des boîtes situées plus bas dans la superposition.

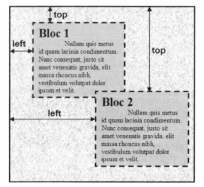 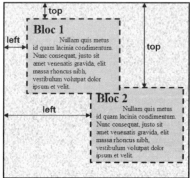

FIGURE 5–7 *Les blocs 1 et 2 sont positionnés ici par rapport aux limites haute et gauche de leur bloc conteneur ; à droite, le bloc 1 a un niveau d'empilement* z-index *plus élevé que le bloc 2.*

Transformation en bloc flottant

TABLEAU 5–12 Propriété float

Propriété	float
Exemples	`img.vignettes { float: left; }` `div.infos { float: right; }`
Valeurs possibles	`none` : pas de flottement (valeur par défaut), `left` : élément flottant calé à gauche, `right` : élément flottant calé à droite.
Héritage	*Non.*

Pas d'éléments flottants sur le côté

À NOTER **Action de la propriété** `clear`

Lorsque la propriété `clear` est spécifiée et qu'un élément flottant est là qui n'est pas autorisé, l'élément concerné se place à la ligne, sous ce bloc flottant.

TABLEAU 5–13 Propriété clear

Propriété	clear
Exemples	h1 { clear: both; } .remarque { clear: left; }
Valeurs possibles	none : boîtes flottantes autorisées à gauche et à droite (valeur par défaut), left : pas d'élément flottant sur la gauche, right : pas d'élément flottant sur la droite. both : aucun élément flottant, ni à gauche, ni à droite.
Héritage	*Non.*

Affichage ou non d'un élément

TABLEAU 5–14 Propriété visibility

Propriété	visibility
Exemple	.retrait { visibility: hidden; }
Valeurs possibles	visible : l'élément est visible (valeur par défaut), hidden : l'élément est masqué, mais il occupe toujours le même espace dans la page, collapse = hidden, sauf dans les tableaux, où l'espace est libéré lorsqu'il s'agit d'une ligne entière ou d'une colonne entière.
Héritage	*Non.*

Affichage des débordements

La propriété overflow indique s'il faut afficher ou non le contenu des éléments flottants qui débordent de la boîte concernée.

TABLEAU 5–15 Propriété overflow

Propriété	overflow
Exemples	p { overflow: scroll; } #cadre1 { overflow: hidden; }

Tableau 5–15 **Propriété overflow**

Valeurs possibles	`visible` : le débordement est visible (valeur par défaut), `hidden` : le débordement est masqué, `scroll` : affichage dans tous les cas d'une barre de défilement, qui permettra l'accès à un débordement éventuel, `auto` : une barre de défilement apparaît, mais seulement en cas de débordement.
Héritage	*Non.*

Zone visible d'une boîte

Tableau 5–16 **Propriété clip**

Propriété	`clip`
Exemples	`p { clip: rect(10px 20px 5px 15px); }` `p#cadre2 { clip: rect(0 2em 2em 5em); }`
Valeurs possibles	`auto` : la zone visible est la boîte entière (valeur par défaut) ou `rect(top, right, bottom, left)` : la zone visible est un *rectangle* défini par les quatre valeurs entre parenthèses. Ces valeurs indiquent des décalages par rapport aux côtés respectifs de la boîte (valeurs possibles pour chacun d'eux : `auto` qui équivaut à 0, valeur positive, valeur négative).
Héritage	*Non.*

À NOTER **Rectangle visible défini avec la propriété clip**

Lorsque la propriété `clip: rect(top, right, bottom, left);` définit un rectangle visible, le contenu qui se trouve en-dehors de la zone définie est considéré comme un débordement. Il est donc traité suivant la valeur de la propriété `overflow` : par défaut, le débordement est visible.

Dans l'expression `rect(top, right, bottom, left);`, les décalages `top`, `right`, `bottom` et `left` peuvent être exprimés en taille relative (conseillée) : em, ex, px, ou en taille fixe : pt, pc, cm, mm, in.

Changement de type d'élément

Chaque élément de la page fait partie d'une catégorie, comme les éléments en ligne, les blocs, etc. Cependant, il est parfois nécessaire de changer le type d'un élément.

Par exemple, pour appliquer à un élément en ligne (comme un lien) une propriété liée aux blocs, il faut d'abord le transformer en bloc. C'est ce que permet la propriété `display`.

TABLEAU 5-17 **Propriété display**

Propriété	display

Exemples	`p.secret { display: none; }`
	`.cellule { display: table-cell; }`
	`span.bloc { display: block; }`

Valeurs possibles	`inline` : élément en ligne (valeur par défaut) `block` : bloc `list-item` : élément de liste `inline-block` : élément en ligne remplacé `run-in` : bloc ou élément en ligne, suivant le contexte `table` : tableau, `inline-table` : tableau en ligne `table-cell` : cellule de tableau, `table-row` : ligne de tableau, `table-column` : colonne de tableau `table-caption` : titre de tableau `table-row-group` : groupe de lignes `table-column-group` : groupe de colonnes de tableau `table-header-group` : groupe d'en-têtes de tableau `table-footer-group` : groupe de pieds de tableau `none` : l'élément est invisible et ses dimensions sont nulles.
Héritage	*Non.*

À NOTER **Différence entre visibility: hidden; et display: none;**

Ces deux règles permettent de masquer un objet dans la page.
- Avec `visibility: hidden;` l'objet est masqué, mais occupe toujours la même place qu'auparavant dans la page.
- Avec `display: none;` l'objet devient invisible également, mais sa place n'est pas réservée sur la page (aucune boîte n'est générée).

Délimitation des blocs

Même en voyant la page web s'afficher à l'écran, il n'est pas toujours facile de comprendre la position et les dimensions des blocs qui la composent.

Il existe une méthode toute simple, mais qui rend d'immenses services, pour voir ces blocs à l'écran : il suffit de les délimiter par une bordure, en leur appliquant temporairement la propriété suivante :

```
border: 1px solid red;
```

Une fois ces blocs encadrés et comme le montre la figure 5-8, il est beaucoup plus aisé de voir comment ils sont organisés entre eux, comment sont prises en compte les dimensions et les marges, quelles sont les différences d'interprétation entre deux navigateurs.

FIGURE 5-8 *Vous souvenez-vous du passage sur l'héritage, au début de cet ouvrage ? Une fois les blocs encadrés, leur imbrication et leurs marges sont nettement visibles.*

Exemples de positionnement

Pour comprendre les différents types de positionnement et leur utilisation, rien de tel qu'un exemple.

Il s'agit d'une page web complète, qui parle de nature (un peu de fraîcheur) et qui utilise tous les types de positionnement (beaucoup d'explications).

Voici le code de cette page, dont la feuille de style sera expliquée en détail par la suite et dont l'affichage est reproduit sur la figure 5-9.

```html
<!DOCTYPE html PUBLIC "-//W3C//DTD XHTML 1.0 Strict//EN"
                "DTD/xhtml1-strict.dtd">
<html>
<head>
  <meta http-equiv="content-type"
        content="text/html; charset=utf-8" />
  <title>La nature : Fleurs et plantes</title>
  <style type="text/css">
  <!--
  * { margin: 0; padding: 0; }

  img#frise { display: block; width: 100%;
              height: 30px; }

  div#titre { background-color: skyblue;
              text-align: center; height: 60px;
              position: relative; }
  #titre img { position: absolute;
              top: 5px; left: 25%;
              height: 50px; width: 40px; }
  #titre h1, #titre h2 { margin: 0 auto;
                         width: 200px;
                         color: green; }
  #titre h1 { background-color: khaki; }
  #titre h2 { position: relative;
              top: -10px; left: 50px; }

  h2#titre_fixe { position: fixed;
                  top: 200px; left: 0;
                  width: 80px; padding: 20px;
                  background-color: lightgreen;
                  text-align: center;}

  div#galerie { position: absolute;
                top: 90px; left: 120px;}
```

```
#galerie img { margin: 20px; width: 200px;
               height: 230px; border: 1px solid;
               float: left; }
-->
</style>
</head>

<body>
  <img id="frise" src="nuages.jpg" alt="nuages.jpg"
                                title="nuages" />
  <div id="titre">
  <img src="arbre.gif" alt="arbre" title="arbre" />
    <h1>LA NATURE</h1>
    <h2>EN IMAGES</h2>
  </div>
  <h2 id="titre_fixe">Fleurs<br />et<br />plantes
  </h2>
  <div id="galerie">
    <img src="img01.jpg" alt="img01.jpg"
         title="Chêne" />
    <img src="img02.jpg" alt="img02.jpg"
         title="Pin" />
    <img src="img03.jpg" alt="img03.jpg"
         title="Cognassier" />
    <img src="img04.jpg" alt="img04.jpg"
         title="Palmier" />
    <img src="img05.jpg" alt="img05.jpg"
         title="Pommier" />
    <img src="img06.jpg" alt="img06.jpg"
         title="Saule" />
  </div>
</body>

</html>
```

FIGURE 5-9 *Affichage de notre code exemple. Les illustrations proviennent du site www.wikipedia.org.*

Image du haut (nuages)

Cette image a été insérée pour différencier, du point de vue du positionnement, le haut de l'élément `<body>` (haut de la page) et le haut du bloc `<div id="titre">` (bandeau uni contenant le titre principal).

> À NOTER **Suppression de l'espace vertical sous une image**
>
> Un espace vertical apparaissait initialement sous l'image ; pour le faire disparaître, il a fallu déclarer cette image comme bloc : `display: block`.

Image de l'arbre en position absolue

La figure 5-10 montre les modifications apportées à la position du logo en forme d'arbre :

1 Initialement, l'arbre est positionné dans le flux. Il se place en haut de son bloc conteneur (dont le contenu est centré par une propriété de style). Le bloc suivant (titre de niveau 1 « la nature ») est placé au-dessous.

2 Cette image d'arbre est positionnée en absolu, par la règle :

```
#titre img { position: absolute; top: 5px; left: 25%; }
```

Comme le bloc parent `<div id="titre">` n'est pas positionné, la position de l'arbre est calculée à partir du bloc `<body>`, c'est-à-dire du début de la page.

3 Le même positionnement étant conservé pour l'arbre, la règle `div#titre { position: relative; }` sert à placer le bloc parent. La position de l'arbre est alors calculée à partir des limites du bloc `<div id="titre">` qui le contient.

① Arbre dans le flux normal
⇩
② Arbre positionné dans `<body>`
⇩
③ Arbre positionné dans son conteneur

FIGURE 5-10 *Les différentes étapes du positionnement de l'arbre*

Sous-titre « en images » en position relative

Sur la figure 5-11 apparaissent le titre « la nature » et le sous-titre « en images » de la page.

Dans la première image, ils sont affichés dans le flux normal. Le sous-titre se place au-dessous du titre principal, centré comme lui.

Grâce à un positionnement relatif du sous-titre « en images », il est possible de décaler celui-ci vers le haut et vers la droite, en utilisant la règle de style :

`#titre h2 { position: relative; top: -10px; left: 50px; }`.

- décalage négatif à partir du haut, pour que le sous-titre chevauche le bloc contenant le titre « la nature » ;
- décalage positif à partir de la gauche, pour décaler le sous-titre vers la droite.

Le résultat obtenu est visible sur la deuxième image de la figure 5-11.

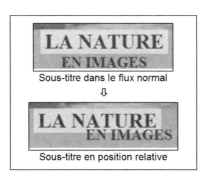

FIGURE 5-11 *Décalage relatif du sous-titre par rapport à sa position normale*

Centrage horizontal du titre

Le centrage horizontal des blocs `<h1>` et `<h2>` qui contiennent le titre « la nature » et le sous-titre « en images » s'effectue à l'aide de la règle :

```
#titre h1, #titre h2 { margin: 0 auto; }
```

Toutefois, cette règle est mal interprétée par Internet Explorer 6, qui ne centre pas les blocs de cette façon. Pour ce navigateur, il faut ajouter une règle d'alignement qui concerne le bloc conteneur :

```
div#titre { text-align: center; }
```

Selon les normes CSS, cette dernière règle ne sert qu'au centrage des éléments en ligne (texte et images) et ne concerne pas les blocs. Néanmoins, avec Internet Explorer 6, c'est bien cette méthode qu'il faut utiliser pour le centrage des blocs.

Titre latéral fixé sur l'écran

Le titre « Fleurs et plantes », qui se trouve à gauche de la page, doit rester visible et à la même position sur l'écran, même lorsque la page défile (voir la figure 5-12).

C'est pourquoi la règle suivante est utilisée :

```
h2#titre_fixe { position: fixed; top: 200px; left: 0; }
```

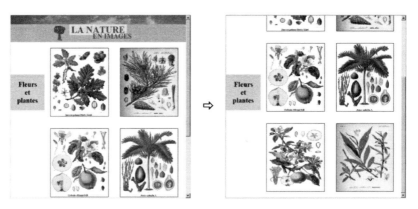

FIGURE 5–12 *Le titre « Fleurs et plantes » reste fixe lors du défilement de la page.*

> ATTENTION **Navigateur récalcitrant**
>
> Contrairement à Firefox et Internet Explorer 7, Internet Explorer 6 ne reconnaît pas cette propriété `position: fixed;`. Il existe toutefois des solutions de remplacement en Javascript.

Position absolue pour la galerie d'images

Le bloc qui contient toutes les images doit se juxtaposer au titre latéral « Fleurs et plantes ». Pour effectuer cette mise en page, le CSS nous évite les affres des tableaux en nous proposant un positionnement absolu :

```
div#galerie { position: absolute; top: 90px; left: 120px; }
```

Les décalages sont exprimés par rapport à l'élément parent de `<div id="galerie">`, donc par rapport à `<body>`. Les 90 pixels correspondent à la hauteur cumulée des deux blocs du haut (frise et bandeau de titre) et les 120 pixels à la largeur du bloc latéral « Fleurs et plantes ».

Le résultat se trouve sur la figure 5-13, où le bloc qui contient la galerie d'images est entouré de pointillés.

FIGURE 5–13 *Le bloc qui contient la galerie d'images est placé dans la page, en position absolue.*

Images côte à côte en position flottante

Les images qui constituent le corps de la page sont alignées côte à côte, avec retour automatique en fonction de la largeur de la fenêtre. C'est le positionnement flottant à gauche qui réalise cette fonction :

```
#galerie img { float: left; }
```

Ce flottement s'effectue à l'intérieur du bloc conteneur, soit ici le bloc `<div id="galerie">`. La figure 5-14 montre bien que le nombre d'images par ligne s'adapte à la largeur de la fenêtre.

> PRÉCISION **Quelques efforts de présentation**
>
> Au départ, les images flottantes vont s'agglutiner les unes aux autres de façon peu esthétique. Pour une présentation harmonieuse, il faudra :
> - Donner une taille homogène à toutes les images, en utilisant les propriétés `width` et `height` ;
> - Régler les marges avec `margin` ou `padding`, pour espacer les images entre elles.
>
> Notez que des images en mode portrait et en mode paysage peuvent cohabiter dans un positionnement flottant, à condition de former des blocs de dimensions homogènes : l'addition taille + marge doit rester constante, en largeur comme en hauteur.

FIGURE 5-14 *Grâce au positionnement flottant, le nombre d'images sur chaque ligne s'adapte à la largeur de la fenêtre.*

À NOTER **Habillage d'une image**

Le positionnement flottant permet aussi d'habiller une image avec du texte, comme le montre la figure 5-15 : l'image du pingouin Tux est flottante à droite, donc elle est habillée par le texte qui la suit dans le code de la page.

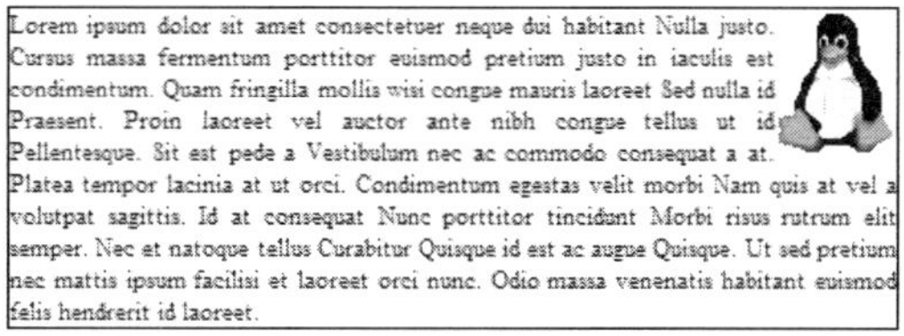

Lorem ipsum dolor sit amet consectetuer neque dui habitant Nulla justo. Cursus massa fermentum porttitor euismod pretium justo in iaculis est condimentum. Quam fringilla mollis wisi congue mauris laoreet Sed nulla id Praesent. Proin laoreet vel auctor ante nibh congue tellus ut id Pellentesque. Sit est pede a Vestibulum nec ac commodo consequat a at. Platea tempor lacinia at ut orci. Condimentum egestas velit morbi Nam quis at vel a volutpat sagittis. Id at consequat Nunc porttitor tincidunt Morbi risus rutrum elit semper. Nec et natoque tellus Curabitur Quisque id est ac augue Quisque. Ut sed pretium nec mattis ipsum facilisi et laoreet orci nunc. Odio massa venenatis habitant euismod felis hendrerit id laoreet.

FIGURE 5-15 *Image flottante à droite, habillée par le texte qui la suit*

Centrage d'éléments à l'intérieur des blocs

Il est souvent nécessaire de centrer textes, images ou blocs, soit horizontalement, soit verticalement. Voici, de façon simple, comment procéder avec les feuilles de style.

Dans chaque cas, il faudra distinguer :

- le centrage des **éléments en ligne** (texte, images, ...), qui s'affichent les uns à la suite des autres ;
- le centrage des **blocs** (`<div>`, `<p>`, `<h1>`, ...), éléments qui se placent les uns sous les autres et qui n'utilisent pas les mêmes propriétés.

Centrage horizontal

Mieux vaut éviter la vieille balise HTML `<center>` ou les attributs `align= "center"` à l'intérieur des balises : ces méthodes sont déconseillées, car elles mélangent mise en forme et contenu de la page.

Centrage horizontal d'éléments en ligne

Pour centrer horizontalement *un élément en ligne*, il suffit d'attribuer à son **bloc conteneur** la propriété suivante :

```
text-align: center;
```

Centrage horizontal de blocs

Pour centrer horizontalement *un bloc* à l'intérieur de son conteneur, le principe consiste à lui attribuer des marges identiques à gauche et à droite, en utilisant les propriétés suivantes :

```
margin-left: auto; margin-right: auto;
```

Cependant, Internet Explorer 6 n'interprète pas correctement cette marge automatique. En revanche, il centre les blocs avec la même propriété que celle qui sert à centrer les éléments en ligne. Spécialement pour ce navigateur, il faudra donc associer au **bloc conteneur** la propriété :

```
text-align: center;
```

À NOTER **Largeur du bloc à centrer**
Pour que le centrage horizontal change quelque chose à l'affichage, il faut bien sûr que le bloc à centrer soit plus étroit que son bloc conteneur.

Centrage vertical

Là, il n'y a aucun risque d'utiliser une balise périmée, car il n'en existe pas en HTML pour centrer verticalement ! Il faudra utiliser plusieurs propriétés pour placer l'élément au milieu de son conteneur.

Centrage vertical d'éléments en ligne

Pour centrer verticalement un élément en ligne, il faut déclarer une *hauteur de ligne* égale à la hauteur de l'élément. Exemple :

```
p.milieu { height: 150px; line-height: 150px; }
```

> À NOTER **Centrage d'éléments comprenant plusieurs lignes**
> La technique précédente ne fonctionne que si les éléments à centrer tiennent sur une seule ligne.
> Pour un élément à centrer verticalement qui comporte deux ou plusieurs lignes, la méthode suivante est applicable :
> HTML
> ```
> <span>texte sur une ligne</span>
> <span class="sur2lignes">texte plus long,<br />
>                          sur deux lignes</span>
> ```
> CSS
> ```
> span { height: 2em; line-height: 2em; }
> span.sur2lignes { line-height: 1em; }
> ```
> Cette technique est généralisable à un nombre quelconque de lignes,
> avec `line-height = height / nombre de lignes`.

Centrage vertical de blocs

Le bloc à centrer doit évidemment avoir une hauteur inférieure à celle de son conteneur.

Le centrage vertical d'un bloc utilise le principe suivant, qui est illustré par la figure 5-16 :

- Le haut du bloc à centrer est d'abord placé au milieu de son conteneur, en position absolue (à 50 % du haut du bloc conteneur).
- Une marge du haut négative est alors appliquée, représentant la moitié de la hauteur de l'élément à centrer.

> ATTENTION **Le bloc conteneur doit être positionné**
> Étant donné que le bloc à centrer verticalement est placé en position absolue à l'intérieur de son conteneur, il faut songer que ce bloc conteneur doit être lui-même positionné. Si ce n'est pas le cas, il faudra lui attribuer la propriété : `position: relative;`.

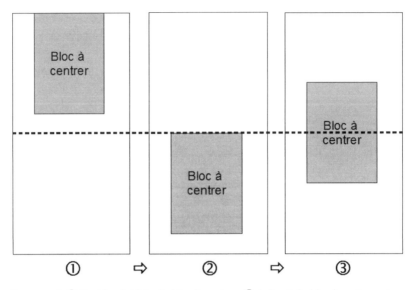

FIGURE 5-16 ① *Position initiale du bloc à centrer ;* ② *le haut du bloc à centrer est placé au milieu du bloc conteneur ;* ③ *une marge du haut négative est attribuée au bloc à centrer : la moitié de sa hauteur.*

Exemple de centrage vertical

Pour le conteneur

```
position: relative;
```

Pour le bloc à centrer

```
position: absolute;
top: 50%;
height: 140px;
margin-top: -70px;
/* - height/2 ; attention au signe moins */
```

Variante **Centrage horizontal d'un bloc**

Cette méthode peut aussi être appliquée au centrage horizontal d'un bloc. Exemple :

```
p { position: absolute;
     left: 50%; margin-left: -150px; width: 300px; }
```

Le bloc en question est placé au milieu de son conteneur à partir de la gauche. Ensuite, une marge négative lui est affectée à gauche, de la moitié de sa largeur.

Figure 5-17 *Les pages web sont constituées de blocs. Ceux-ci sont nettement visibles dans cet exemple, extrait du site http://www.csszengarden.com/tr/francais (version "Par avion", par Emiliano Pennisi - http://www.peamarte.it/01/metro.html).*

Différents types de médias

Le principal média utilisé est l'affichage à l'écran, mais il en existe d'autres, notamment l'impression et le son.

Sans le dire, par une tacite connivence avec le navigateur Internet, nous avons utilisé un type de média, toujours le même : le média *affichage à l'écran*.

Les feuilles de style permettent cependant de gérer d'autres médias. Parmi tous ceux qui sont proposés en CSS, les deux principaux sont l'impression et la diffusion de sons.

Types de médias

Il est possible, à l'intérieur d'une feuille de style (qu'elle soit interne ou externe), de déclarer le type de média concerné par un groupe de propriétés. Cette déclaration est facultative ; elle s'effectue sous la forme :

```
@media xxx {      /* xxx= type de média concerné */
...Propriétés pour ce type de média...
}
```

Exemple

```
style type="text/css">
<!--
  @media screen {
      * { font-style: Arial, sans-serif; }
  }
  @media print {
      * { font-style: "Times New Roman", serif; }
  }
  @media all {
      * { background-color: white; }
  }
-->
</style>
```

Les types de médias possibles sont les suivants :

- `all` : tous les médias sont concernés par les propriétés indiquées ;
- `aural` : diffusion de son ;
- `braille` : écran tactile pour les non-voyants ;

- `embossed` : impression en braille ;
- `handheld` : appareil de poche (visuel avec petit écran ou sonore) ;
- `print` : impression ;
- `projection` : affichage par vidéoprojecteur (= grand écran) ;
- `screen` : écran couleur (affichage classique sur un ordinateur) ;
- `speech` : lecture vocale ;
- `tty` : impression avec caractères de largeur fixe ;
- `tv` : télévision.

À NOTER **Emplacement de la déclaration du type de média**
Le type de média peut être spécifié :
- à l'intérieur d'une feuille de style interne, comme dans l'exemple précédent ;
- ou dans l'appel d'une feuille de style externe, comme ci-après :

```
<LINK  rel="stylesheet" type="text/css"
    media="print"    href="impression.css">
```

Média paginé : styles pour l'impression

Les propriétés liées à l'impression d'un document concernent sa taille, les sauts de page, ainsi que la gestion des veuves et orphelines.

Vous ne connaissez pas l'histoire de la veuve, ni celle de l'orpheline ? Préparez un mouchoir, je vous la raconte (mais rassurez-vous, tout finit bien). Dans les deux cas, il s'agit d'un paragraphe dont une ligne est toute seule, perdue sur une autre page, ce qui est fâcheux d'un point de vue esthétique.

Pour la veuve, c'est une pauvre petite ligne qui se trouve seule en haut d'une page, alors que tout le reste du paragraphe auquel elle appartient se trouve en bas de la page précédente. Dans ce cas, il pourra être demandé qu'une ligne se détache du paragraphe pour lui tenir compagnie.

Quant à l'orpheline, elle est isolée en bas d'une page, alors que toute sa famille (le reste du paragraphe) se trouve en haut de la page suivante. Alors, par une bonté du logiciel, elle pourra le rejoindre sur cette nouvelle page.

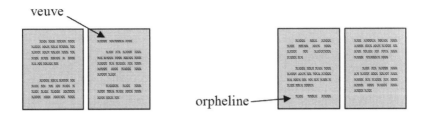

veuve

orpheline

Figure 6-1 *Veuve et orpheline*

L'effet « veuve et orpheline » dans un traitement de texte
En général, les traitements de texte gèrent les veuves et orphelines. C'est pourquoi, dans certains cas, l'ajout d'un saut de ligne dans une page entraîne le passage de deux lignes vers la page suivante, ou pourquoi la suppression d'une ligne de la page fait revenir deux lignes de la page suivante.

Voici les propriétés liées à l'impression, qui seront donc en général placées, dans la feuille de style, entre `@media print` { et }.

Gestion des veuves

Tableau 6-1 Propriété widows

Propriété	widows
Exemple	`body { widows: 3; }`
Valeurs possibles	**Nombre entier** (valeur par défaut : 2) qui indique le nombre minimum de lignes qui peuvent rester en haut d'une page.
Héritage	Propriété *héritée*. Pour retrouver la valeur intiale, indiquez 2.

Gestion des orphelines

TABLEAU 6-2 Propriété orphans

Propriété	orphans
Exemple	`body { orphans: 3; }`
Valeurs possibles	**Nombre entier** (valeur par défaut : 2) qui indique le nombre minimum de lignes qui peuvent rester en bas d'une page.
Héritage	Propriété *héritée*. Pour retrouver la valeur intiale, indiquez 2.

Saut de page avant

TABLEAU 6-3 Propriété page-break-before

Propriété	page-break-before
Exemple	`.chapitre { page-break-before: always; }`
Valeurs possibles	`auto` : le saut de page s'effectue automatiquement lorsque le bas de la page est atteint (valeur par défaut), `always` : saut de page obligatoire avant, `avoid` : pas de saut de page avant, `left` : un ou deux saut(s) de page avant, pour que la page *qui suit* l'élément concerné se trouve dans une page de gauche, `right` : un ou deux saut(s) de page avant, pour que la page *qui suit* l'élément concerné se trouve dans une page de droite.
Héritage	*Non.*

Saut de page après

Tableau 6-4 Propriété page-break-after

Propriété	page-break-after
Exemple	`.conclusion { page-break-after: left; }`
Valeurs possibles	`auto` : le saut de page s'effectue automatiquement lorsque le bas de la page est atteint (valeur par défaut), `always` : saut de page obligatoire après, `avoid` : pas de saut de page après, `left` : un ou deux saut(s) de page après, pour que la page *qui suit* l'élément concerné se trouve dans une page de gauche, `right` : un ou deux saut(s) de page après, pour que la page *qui suit* l'élément concerné se trouve dans une page de droite.
Héritage	*Non.*

Coupure par un saut de page

Tableau 6-5 Propriété page-break-inside

Propriété	page-break-inside
Exemple	`table { page-break-inside: avoid; }`
Valeurs possibles	`auto` : le saut de page s'effectue automatiquement lorsque le bas de la page est atteint, l'élément concerné pouvant donc se trouver sur deux pages (valeur par défaut), `avoid` : pas de saut de page *à l'intérieur* de l'élément concerné : il doit se trouver entier sur une seule page.
Héritage	Propriété *héritée*. Pour retrouver la valeur initiale, utilisez `auto`.

Dimensions d'une page

Les dimensions et l'orientation des pages sont spécifiées à l'aide de la propriété `size`. Le sélecteur peut être par exemple `@page` pour indiquer « toutes les pages » (voir plus loin les types de sélecteurs possibles).

TABLEAU 6-6 **Propriété size**

Propriété	`size`
Exemple	`@page { size: landscape; }`
Valeurs possibles	`auto` : dimensions de la page standard (valeur par défaut), `landscape` (orientation "paysage"), `portrait` (orientation "portrait"), ou deux valeurs séparées par un espace : `largeur hauteur` (valeurs exprimées généralement en cm ou en in - pas de %).
Héritage	Propriété *héritée*. Pour retrouver la valeur initiale, utilisez `auto`.

Sélecteur de page

Le sélecteur `@page` permet de spécifier les caractéristiques de pages (taille, orientation portrait ou paysage, marges...) :

Pour toutes les pages

```
@page { margin: 1.5cm; }
```

Pour la première page

```
@page :first { margin-top: 5cm; }
```

Pour toutes les pages de gauche

```
@page :left { margin-right: 2cm; }
```

Pour toutes les pages de droite

```
@page :right { margin-left: 2cm; }
```

Pages nommées

Il est possible de donner un nom à un type de page et de lui associer des propriétés de mise en forme, en utilisant la syntaxe suivante :

```
@page nom_de_page_choisi { propriétés_associées }
```

Exemples :

```
@page paysage { size: landscape; }
@page formatA5 { size: 10cm 15cm; }
```

Par la suite, un élément peut faire référence à ce nom de page pour en prendre toutes les caractéristiques. Il faut pour cela utiliser la propriété `page`, décrite ci-après.

Référence à un type de page

Tableau 6-7 Propriété page

Propriété	page

Exemple	`img { page: paysage; }`
	`#notice { page: formatA5; }`
	Les types de page nommés `paysage` et `formatA5` auront été défini précédemment, par exemple :
	@page paysage { size: landscape; }
	@page formatA5 { size: 10cm 15cm; }

Valeurs possibles	`auto` : pas de nom de page associée (valeur par défaut), ou **nom d'une page** défini avec `@page xxx { ... }`.
Héritage	Propriété *héritée*. Pour retrouver la valeur initiale, utilisez `auto`.

> **Attention Saut de page automatique**
>
> Si deux éléments qui se suivent sont associés à des types de page différents, alors un saut de page est inséré automatiquement entre eux.
> La même règle est appliquée par les traitements de texte : il ne peut pas y avoir deux mises en forme pour la même page. Par exemple, dans un texte en mode portrait, si un paragraphe est associé au mode paysage, un saut de page sera automatiquement inséré avant et après.

Média sonore : fonctions audio

Ces propriétés concernent la mise en forme des sons et des voix utilisés. Elles seront normalement placées, dans la feuille de style, à l'intérieur des parties @media aural { ... } ou @media speech { ... }.

> ATTENTION **Propriétés peu reconnues**
>
> Actuellement, ces propriétés sont peu ou pas prises en compte par les principaux navigateurs.

Voici un résumé de ces propriétés sonores. Pour tout détail à leur sujet, consulter le site officiel du W3C www.w3c.org ou sa traduction française, sur www.yoyodesign.org. Plus précisément, l'index de toutes les propriétés CSS 2 se trouve à l'adresse : http://www.yoyodesign.org/doc/w3c/css2/indexlist.html.

FIGURE 6-2 *Les fonctions audio s'intégrant de plus en plus à l'informatique, elles seront progressivement prises en compte par les navigateurs web.*

cue-before : son à diffuser avant un élément,

cue-after : son à diffuser après un élément,

cue : raccourci pour cue-before et cue-after,

`pause-before` : pause avant un élément sonore,

`pause-after` : pause après un élément sonore,

`pause` : pause avant et après un élément sonore,

`play-during` : diffusion d'un son en arrière-plan,

`volume` : volume moyen du son,

`azimuth` : angle horizontal de l'origine du son,

`elevation` : angle vertical de l'origine du son,

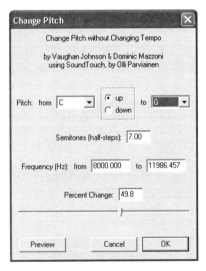

FIGURE 6-3   *Le réglage "pitch" dans le logiciel libre Audacity de traitement du son (extrait du site http://sourceforge.net)*

`pitch` : fréquence moyenne à utiliser,

`pitch-range` : étendue des variations de tonalités,

`richness` : clarté = portée de la voix,

`stress` : étendue de l'intonation de la voix,

`speech-rate` : vitesse de lecture du texte,

`voice-family` : types de voix à utiliser de préférence (comme `font-family` pour les polices de caractères),

`speak` : façon de lire le texte,

`speak-header` : façon de lire les en-têtes de tableaux,

`speak-numeral` : façon de lire les nombres,

`speak-punctuation` : lecture ou non des signes de ponctuation.

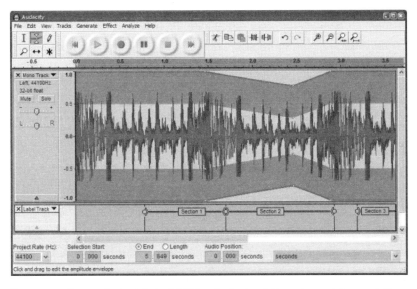

Figure 6-4 *Ecran principal du logiciel libre Audacity, éditeur de son très apprécié (extrait du site http://sourceforge.net)*

chapitre

7

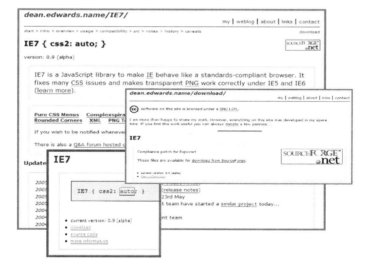

Règles spécifiques
à Internet Explorer 6

Pour pallier certaines interprétations
hors normes d'Internet Explorer 6,
il est parfois nécessaire d'utiliser des
solutions de contournement. Voici
quelques techniques pour résoudre
les problèmes les plus courants.

Le concepteur qui commence à maîtriser les feuilles de style a un autre problème à résoudre. Cette mise en page, qui donne de si beaux résultats avec Firefox, Opéra et d'autres, ne marche pas sur Internet Explorer, du moins avec la version 6 de ce navigateur, quelques pas vers une meilleure conformité ayant été franchis par son successeur, Internet Explorer 7.

Car ce navigateur Internet Explorer 6, bien qu'étant le plus utilisé, fait figure de vilain petit canard : il interprète certaines propriétés CSS d'une manière personnelle, pas toujours conforme aux normes, et en ignore d'autres.

La logique de certaines interprétations peut se défendre, certes, mais une fois les normes adoptées, il serait préférable que tous les navigateurs s'y conforment, sinon que faire de ces règles ? Microsoft fait partie du consortium W3C et il ne fait pas de doute que ses ingénieurs étaient en possession des documents officiels qui définissent les CSS, mais (était-ce une période particulièrement humide ?) certaines pages de la notice ont dû rester collées...

Règles destinées à un type de navigateur

Pour contourner les bogues d'Internet Explorer 6 (IE 6), il est parfois nécessaire :

- d'écrire des règles conformes aux normes, mais qu'il vaut mieux voir ignorées par IE 6, car il ne les prend pas correctement en compte ;
- d'utiliser d'autres règles, destinées uniquement à Internet Explorer 6.

Des astuces dans les sélecteurs permettent ce choix de navigateurs.

Règles de style ignorées par Internet Explorer

Pour qu'une règle de style ne soit pas prise en compte par Internet Explorer 6, il suffit d'écrire par exemple :

```
html>body p { ......./* déclarations */ .....}
```

L'astuce consiste à faire précéder le sélecteur (ici p) par html>body.

Toutes les balises d'une page sont dans `<body>` qui est toujours un enfant direct de la balise `<html>`. Par conséquent, cet ajout n'apporte aucune restriction au sélecteur.

Cependant, ce combinateur `>` (enfant direct) n'est pas reconnu par Internet Explorer 6, qui ignore cette règle.

ATTENTION **Pas d'espace autour du signe >**

Il ne faut pas écrire d'espace autour du signe `>` dans l'expression `html>body`, sinon Internet Explorer 5 prendra en compte cette règle, mais ne l'interprétera pas mieux qu'IE 6.
Il faut noter aussi qu'Internet Explorer 7 reconnaît maintenant ce combinateur.

Règles de style pour Internet Explorer seul

Ayant masqué des règles pour Internet Explorer 6, il ne restera plus qu'à en écrire d'autres, spécifiques à ce navigateur. Pour que seul ce navigateur applique ces règles, il faut noter par exemple :

```
* html p { ......./* déclarations */ .....}
```

L'astérisque `*` représente une balise quelconque. Cette règle s'adresse donc à une balise (ici `<p>`) incluse dans une balise `<html>`, elle-même incluse dans une balise quelconque `*`.

Or, la balise `<html>` est la première de la page et n'est incluse dans aucune autre. Cette règle n'est donc jamais interprétée, sauf par Internet Explorer 6 qui ne tient pas compte de cette restriction.

Propriétés pour Internet Explorer seul

À l'intérieur d'une règle, il est possible de spécifier une propriété qui ne sera lue que par Internet Explorer.

Deux solutions existent :

- Si le nom de la propriété est précédé par un caractère de soulignement, seul Internet Explorer l'interprétera.

- Il en sera de même lorsque la valeur d'une propriété est exprimée sous la forme : expression (...instruction Javascript...).

Exemples

```
div.remarque { width: 100px; _width: 120px; }
div.remarque { width: 100px;
               width: expression(120 + "px"); }
```

Dans cet exemple, la largeur du bloc sera de 100 pixels, sauf pour Internet Explorer, où elle sera de 120 pixels (cela permet ici de corriger un défaut d'IE 6 : il inclut les marges intérieures dans les dimensions du bloc).

Projet IE 7

Pour pallier les nombreuses lacunes d'Internet Explorer 6 (IE 6) dans la reconnaissance des standards CSS, Dean Edwards a lancé le projet IE 7, disponible à l'adresse http://dean.edwards.name/IE7/.

FIGURE 7-1 *Extrait de la page web de Dean Edwards consacrée au projet IE 7*

Il s'agit de fonctions Javascript qui permettent de compenser ces dysfonctionnements ; il suffit de les placer dans un dossier et de les appeler dans l'en-tête de la page web. C'est une solution globale, qui alourdit le poids de la page, mais qui a le mérite de régler une quantité de défauts en une seule fois.

Cependant, lorsqu'il s'agit de régler un seul type de problème, il est possible d'utiliser un des « bidouillages » (*hacks* en anglais) qui suivent. Le « poids » de la page en octets est alors moins élevé.

Marges par défaut différentes

Les divers navigateurs appliquant des marges (internes et externes) par défaut différentes, il est préférable de les annuler dès le début de la feuille de style, et de les régler ensuite pour chaque type de balise, en fonction des besoins.

La règle qui met à zéro les marges externes et internes pour tous les éléments de la page web est la suivante :

```
* { margin: 0; padding: 0; }
```

Largeur ou hauteur minimum

Internet Explorer 6 ne reconnaît pas les propriétés `min-width` et `min-height`, alors qu'elles sont interprétées par la version 7 de ce navigateur.

Par ailleurs, IE 6 interprète mal les propriétés `width` et `height` : au lieu de comprendre largeur *fixe* ou hauteur *fixe*, il traduit largeur *minimum* ou hauteur *minimum*.

Il est alors possible de tirer profit de ce deuxième problème pour résoudre le premier :

*   La largeur minimum s'écrit `min-width` selon les normes, et `width` pour Internet Explorer 6.
*   La hauteur minimum s'exprime par `min-height` normalement, et avec `height` pour Internet Explorer 6.

Les règles qui indiquent largeur ou hauteur minimum s'écrivent donc, par exemple :

```
div#menu { min-width: 25%; _width: 25%; }
div#titre { min-height: 100px; _height: 100px; }
```

Les propriétés `min-width` et `min-height` sont ignorées par Internet Explorer 6. Et pour que seul ce navigateur interprète `width` et `height`, un caractère de soulignement est placé devant ces propriétés.

Position fixe

La propriété `position: fixed` qui permet de figer un élément sur l'écran, indépendamment du défilement, n'est pas reconnue par Internet Explorer 6. En revanche, la version 7 la prend bien en compte.

Technique de rattrapage de position

Une solution de remplacement consiste à calculer en permanence, à l'aide du langage Javascript, la position verticale que doit avoir l'élément concerné.

Le défilement modifie les paramètres utilisés dans cette instruction Javascript, donc entraîne un nouveau calcul de position.

Exemple

```
/* Règle CSS correcte : */
#logo { position: fixed; top: 20px; right: 10px; }

/* Règle pour Internet Explorer 6 */
#logo { _position: absolute;
        top: expression(body.scrollTop + 20 + "px");
}
```

Ici, la position du logo doit être à 20 pixels du haut de l'écran. Pour IE 6, le logo est en position absolue dans `<body>`, à une distance du haut égale à la hauteur de page cachée par le défilement + 20 pixels.

Stabilisation de l'affichage

Il reste un problème à régler : l'affichage du bloc fixe n'est pas très stable. En effet, lorsque la page défile, le rattrapage de la position du bloc se voit et ce dernier tremble à l'écran.

Le remède est simple et efficace, mais il ne s'invente pas : il faut déclarer une image de fond dans `<body>` ! Cela peut être un carré transparent d'un pixel de côté ou encore plus simplement le mot `null` à la place du fichier image. Voici la règle à ajouter :

```
body { background: url(null) fixed ; }
```

À NOTER **Limitation de cette technique**

Cette méthode ne fonctionne pas avec les `<!DOCTYPE...>` officiels du W3C. Elle fonctionne sans `<!DOCTYPE...>`, ou avec un commentaire `<!-- ... -->` avant cette ligne, ce qui revient au même. Dans ce cas apparaissent d'autres problèmes avec IE 6, comme la marge interne `padding` qui n'est pas reconnue lorsqu'elle s'applique à des images.

FIGURE 7-2 *L'exemple vu précédemment, avec un titre fixe sur l'écran, devra utiliser la solution spécifique à Internet Explorer, en plus de la propriété* `position: fixed`.

153

Espace vertical sous une image

Dans Internet Explorer, il arrive qu'une image soit suivie d'un espace au-dessous, sans que la mise à zéro de tous les `margin` et `padding` du monde ne puisse l'enlever.

Pour supprimer cet espacement, il faut transformer cette image en bloc, à l'aide de la propriété :

```
display: block;
```

> À NOTER **Autre méthode possible**
>
> Il existe deux autres techniques, cousines entre elles, pour supprimer cet espacement vertical après une image dans Internet Explorer :
> - supprimez tous les espaces et sauts de ligne entre la fin de la balise image et la balise qui la suit ;
> - ou bien encadrez l'image par un bloc `<div>...</div>`, sans espace ni saut de ligne entre la balise image et `</div>`.

FIGURE 7-3 *En haut, l'image des nuages est suivie d'un espace dans Internet Explorer ; en bas, le problème a été résolu par la propriété* `display: block`.

Transparence des images PNG

Contrairement à Firefox, Opéra ou à son propre successeur Internet Explorer 7, IE 6 n'affiche pas les niveaux de transparence « progressive » (que l'on appelle canal alpha) des images PNG. Il les remplace par un fond gris.

En revanche, il lit bien les images GIF, qui n'ont qu'un seul niveau de transparence possible.

Affichage d'une image PNG transparente sur Internet Explorer 6

L'affichage de PNG transparents sur IE 6 seul s'obtient :

- en utilisant une image GIF transparente de 1 pixel de côté (fichier à créer, appelé ici `blank.gif`) ;
- et en appelant un filtre Microsoft.

Exemple pour IE 6

```
<img src="blank.gif"
  style=" width: 150px; height: 100px;
    filter:progid:
    DXImageTransform.Microsoft.AlphaImageLoader(
      src='exemple.png', sizingMethod='scale');" />
```

L'image officiellement affichée est l'image GIF, qui n'est qu'un malheureux pixel transparent.

L'image qui nous intéresse, avec plusieurs niveaux de transparence, s'appelle ici `exemple.png`.

Dans la formule barbare qui invoque le filtre Microsoft, le nom `AlphaImageLoader` fait référence au canal alpha des niveaux de transparence.

Affichage d'une image PNG transparente sur tous les navigateurs

La formule précédente n'affiche l'image PNG que sur Internet Explorer. Pour qu'elle s'affiche sur tous les autres navigateurs, une astuce consiste à ajouter l'image PNG comme image de fond de la balise <img ... />, avec :

```
style=" background-image: url(exemple.png);
        _background-image: none;"
```

La deuxième propriété, qui commence par un caractère de soulignement, n'est interprétée que par Internet Explorer. Elle permet de masquer l'image de fond pour ce seul navigateur.

Exemple complet, pour tous les navigateurs

```
<img src="blank.gif"
  style=" background-image: url(exemple.png);
          _background-image: none;"
          width: 150px; height: 100px;
      filter:progid:
      DXImageTransform.Microsoft.AlphaImageLoader(
          src='exemple.png', sizingMethod='scale');" />
```

> **Attention** **Dimensions de l'image**
>
> Dans la balise <img ... />, les dimensions **width** et **height** sont **obligatoires** doivent **absolument** correspondre à celles du fichier image qui a été enregistré.

Dimensions d'affichage modifiées

Il est possible d'afficher l'image PNG avec une taille différente de celle qu'elle avait lors de son enregistrement, mais bien sûr, au prix d'une petite complication...

Était-ce nécessaire de compliquer la formule précédente ? La question mérite d'être posée ! Toutefois des lecteurs intrépides réclament cette solution inédite, et puis il est vrai qu'elle peut rendre service.

Alors, la voici :

```
<img src="exemple.png"
  style=" _display: none;
          width: 150px; height: 100px;" />

<img src="blank.gif"
  style=" display: none; _display: inline;
          width: 150px; height: 100px;
  filter:progid:
  DXImageTransform.Microsoft.AlphaImageLoader(
      src='exemple.png',sizingMethod='scale');" />
```

La première balise affiche l'image PNG telle quelle, à destination des navigateurs qui reconnaîtront ses niveaux de transparence. Pour que cette image soit ignorée par Internet Explorer seul, l'astuce `_display: none` est utilisée.

La deuxième balise ressemble à celle de la première solution. Seulement, elle ne concerne plus maintenant qu'Internet Explorer, d'où les propriétés ajoutées : `display: none;` `_display: inline;`. La première supprime l'affichage de cette balise pour tous les navigateurs et la seconde le rétablit comme élément en ligne, mais uniquement pour Internet Explorer.

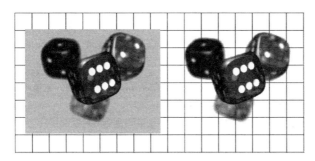

Figure 7-4 *Affichage par Internet Explorer 6 d'une image PNG avec plusieurs niveaux de transparence : avec la balise image normale, puis avec la solution spécifique à ce navigateur (image provenant du site http://www.wikipedia.fr).*

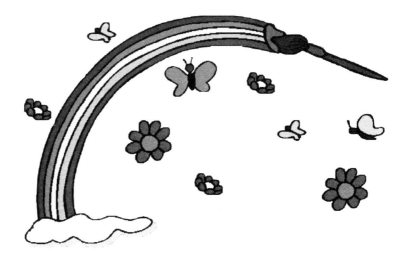

Couleurs

Dans cette annexe sont répertoriées,
d'abord les 16 couleurs de base
du HTML, et ensuite toutes les
couleurs nommées.

« Des goûts et des couleurs, il ne faut point discuter »... Cependant, quoi qu'il en soit des choix effectués, il faut ensuite les transcrire ! En général, les éditeurs HTML nous offrent la possibilité de choisir visuellement une couleur et affichent automatiquement le code correspondant.

Dans un premier temps, pour rester simple, un tableau nous donne les 16 couleurs de bases du HTML. Du classique, mais du solide !

Après un petit tour par les « couleurs sûres », et pour ceux qui sont allergiques aux codes numériques, qu'ils soient décimaux ou hexadécimaux, vous trouverez la liste complète des couleurs qui portent un nom.

Les 16 couleurs de base

Voici, classées par ordre alphabétique de leur nom en français, les 16 couleurs de base du HTML.

TABLEAU A-1 Les 16 couleurs de base du HTML

Nom en français	Nom HTML	Code hexadécimal	Code décimal
Blanc	white	#ffffff	rgb(255,255,255)
Bleu	blue	#0000ff	rgb(000,000,255)
Bleu foncé	navy	#000080	rgb(000,000,128)
Bleu-vert	teal	#008080	rgb(000,128,128)
Cyan	aqua	#00ffff	rgb(000,255,255)
Gris clair	silver	#c0c0c0	rgb(192,192,192)
Gris foncé	gray	#808080	rgb(128,128,128)
Jaune	yellow	#ffff00	rgb(255,255,000)
Marron	maroon	#800000	rgb(128,000,000)
Noir	black	#000000	rgb(000,000,000)
Rose	fuchsia	#ff00ff	rgb(255,000,255)
Rouge	red	#ff0000	rgb(255,000,000)

Tableau A–1 **Les 16 couleurs de base du HTML (suite)**

Nom en français	Nom HTML	Code hexadécimal	Code décimal
Vert	green	#008000	rgb(000,128,000)
Vert brillant	lime	#00ff00	rgb(000,255,000)
Vert olive	olive	#808000	rgb(128,128,000)
Violet	purple	#800080	rgb(128,000,128)

Rappel **Code RVB**

Le code RVB (Rouge - Vert - Bleu) ou RGB en anglais (Red - Green - Blue) consiste à fournir l'intensité de chacune de ces trois couleurs dans l'ordre, de trois façons possibles :
- soit en hexadécimal, chaque composante étant exprimée sur deux chiffres, compris entre 00 et ff ;
- soit en décimal, chaque composante étant exprimée à l'aide de trois chiffres, allant de 000 à 255 et avec la fonction rgb(xx,xx,xx) ;
- soit encore en pourcentage : dans l'expression rgb(xx,xx,xx), le code xx de chaque couleur peut être aussi un pourcentage compris entre 0 % et 100 %.

Couleurs sûres

Il existe une liste de 216 « couleurs sûres » (dont peu sont nommées), qui donnent le même résultat sur toutes les configurations, notamment celles qui sont limitées à 256 couleurs.

Une couleur est « sûre » si chacune de ses composantes RVB en hexadécimal vaut 00, 33, 66, 99, cc, ou ff.

Il était recommandé, il y a quelques années, de ne choisir que parmi ces couleurs sûres pour ne pas avoir de surprise à l'affichage sur certaines configurations modestes.

Néanmoins, la technique évolue et à présent, cette restriction de notre palette aux 216 couleurs sûres n'est plus nécessaire : les caractéristiques des cartes graphiques de base (couleurs définies sur 16 ou 24 bits) permettent maintenant de profiter des 16 millions de couleurs disponibles.

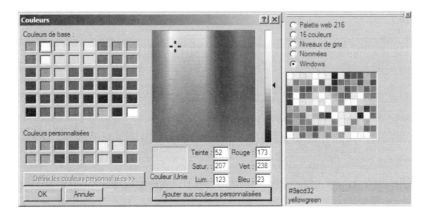

FIGURE A-1   *Un large choix de couleurs : copie d'écran du logiciel PsPad*

Liste de toutes les couleurs nommées

Sauf pour les couleurs simples ou fréquemment utilisées, le code RVB « Rouge - Vert - Bleu » hexadécimal n'est pas très parlant : à quoi ressemble la couleur `#adff2f` ? Même exprimée sous la forme `rgb(173,255,47)` ou encore `rgb(68%,100%,18%)`, cela ne nous dit pas grand-chose...

Une alternative plaisante consiste donc à utiliser les noms prédéfinis de couleurs, du moins pour celles qui en possèdent un. Pour reprendre l'exemple précédent, le nom `greenyellow` nous indique bien que c'est un vert qui tire sur le jaune.

Le tableau suivant classe par teinte toutes les couleurs HTML nommées. Il provient du travail très intéressant d'Alain Beyrand, webmestre du site http://www.pressibus.org. La page des couleurs est disponible à l'adresse : http://www.pressibus.org/perso/html/frcouleurs.html.

Pour voir les couleurs associées à ces noms, consultez ce site Internet ou essayez en HTML.

Tableau A-2 Couleurs nommées de ton BEIGE

Nom en français	Nom HTML	Code hexadécimal	Code décimal
Beige	beige	#f5f5dc	rgb(245,245,220)
Beige blanc antique	antiquewhite	#faebd7	rgb(250,235,215)
Beige blanc Dalmond	blanchedalmond	#ffebcd	rgb(255,235,205)
Beige bisque	bisque	#ffe4ba	rgb(255,228,186)
Beige citron-soie	lemonchiffon	#fffacd	rgb(255,250,205)
Beige crème de papaye	papayawhip	#ffefd5	rgb(255,239,213)
Beige mocassin	moccasin	#ffe4b5	rgb(255,228,181)
Beige pêche	peachpuff	#ffdab9	rgb(255,218,185)

Tableau A-3 Couleurs nommées de ton BLANC

Nom en français	Nom HTML	Code hexadécimal	Code décimal
Blanc	white	#ffffff	rgb(255,255,255)
Blanc coquillage	seashell	#fff5ee	rgb(255,245,238)
Blanc dentelle ancienne	oldlace	#fdf5e6	rgb(253,245,230)
Blanc fantôme	ghostwhite	#f8f8ff	rgb(248,248,255)
Blanc floral	floralwhite	#fffaf0	rgb(255,250,240)
Blanc ivoire	ivory	#fffff0	rgb(255,255,240)
Blanc fumée	whitesmoke	#f5f5f5	rgb(245,245,245)
Blanc lavande	lavenderblush	#fff0f5	rgb(255,240,245)
Blanc lin	linen	#faf0e6	rgb(250,240,230)
Blanc menthe	mintcream	#f5fffa	rgb(245,255,250)
Blanc neige	snow	#fffafa	rgb(255,250,250)

Tableau A-4 Couleurs nommées de ton BLEU

Nom en français	Nom HTML	Code hexadécimal	Code décimal
Bleu	blue	#0000ff	rgb(000,000,255)
Bleu acier	steelblue	#4582b4	rgb(070,130,180)
Bleu acier clair	lightsteelblue	#b0c4de	rgb(176,196,222)
Bleu Alice	aliceblue	#f0f8ff	rgb(240,248,255)
Bleu ardoise	slateblue	#6a5acd	rgb(106,090,205)
Bleu ardoise foncé	darkslateblue	#483d88	rgb(072,061,139)
Bleu ardoise moyen	mediumslateblue	#7b68ee	rgb(123,104,238)
Bleu azur	azure	#f0ffff	rgb(240,255,255)
Bleu bleuet	cornflowerblue	#6495ed	rgb(100,149,237)
Bleu cadet	cadetblue	#5f9ea0	rgb(095,158,160)
Bleu ciel	skyblue	#87cdeb	rgb(135,205,235)
Bleu ciel clair	lightskyblue	#87cefa	rgb(135,206,250)
Bleu ciel profond	deepskyblue	#00bfff	rgb(000,191,255)
Bleu clair	lightblue	#add8e6	rgb(173,216,230)
Bleu foncé	darkblue	#00008b	rgb(000,000,139)
Bleu indigo	indigo	#4b0082	rgb(075,000,130)
Bleu lavande	lavender	#e6e6fa	rgb(230,230,250)
Bleu marin	navy	#000080	rgb(000,000,128)
Bleu de minuit	midnightblue	#191970	rgb(025,025,112)
Bleu moyen	mediumblue	#0000cd	rgb(000,000,205)
Bleu poudre	powderblue	#b0e0e6	rgb(176,224,230)
Bleu Pressibus	pressibusblue	#000099	rgb(000,000,153)
Bleu royal	royalblue	#4169e1	rgb(065,105,225)
Bleu toile	dodgerblue	#1e90ff	rgb(030,144,255)
Bleu violet	blueviolet	#262be2	rgb(250,235,215)

TABLEAU A-5 Couleurs nommées de ton BRUN

Nom en français	Nom HTML	Code hexadécimal	Code décimal
Brun	brown	#a5292a	rgb(000,255,255)
Brun bois rustique	burlywood	#deb887	rgb(222,184,135)
Brun chocolat	chocolate	#d2691e	rgb(210,105,030)
Brun cuir	saddlebrown	#8b4513	rgb(139,069,019)
Brun kaki	khaki	#f0e68c	rgb(240,230,140)
Brun kaki foncé	darkkhaki	#bdb76b	rgb(189,183,107)
Brun marron	maroon	#800000	rgb(128,000,000)
Brun Pérou	peru	#cd8540	rgb(205,133,064)
Brun rosé	rosybrown	#bc8f8f	rgb(188,143,143)
Brun roux	tan	#d2b48c	rgb(210,180,140)
Brun sableux	sandybrown	#f4a460	rgb(244,164,096)
Brun terre de Sienne	sienna	#a0522d	rgb(160,082,045)

TABLEAU A-6 Couleurs nommées de ton CYAN - TURQUOISE

Nom en français	Nom HTML	Code hexadécimal	Code décimal
Cyan	cyan	#00ffff	rgb(000,255,255)
Cyan clair	lightcyan	#e0ffff	rgb(224,255,255)
Cyan foncé	darkcyan	#008b8b	rgb(000,139,139)
Turquoise	turquoise	#40e0d0	rgb(064,224,208)
Turquoise foncé	darkturquoise	#00ced1	rgb(000,206,209)
Turquoise moyen	mediumturquoise	#48d1cc	rgb(072,209,204)
Turquoise pâle	paleturquoise	#afeeee	rgb(175,238,238)

TABLEAU A-7 Couleurs nommées de ton GRIS

Nom en français	Nom HTML	Code hexadécimal	Code décimal
Gris	gray	#808080	rgb(128,128,128)
Gris ardoise	slategray	#708090	rgb(112,128,144)
Gris ardoise clair	lightslategray	#778899	rgb(119,136,153)
Gris ardoise foncé	darkslategray	#2f4f4f	rgb(047,079,079)
Gris argent	silver	#c0c0c0	rgb(192,192,192)
Gris clair	lightgrey	#d3d3d3	rgb(211,211,211)
Gris Gainsboro	gainsboro	#dcdcdc	rgb(220,220,220)
Gris mat	dimgray	#696969	rgb(105,105,105)

TABLEAU A-8 Couleur nommée NOIR et codes des NUANCES DE GRIS

Nom en français	Nom HTML	Code hexadécimal	Code décimal
Noir	black	#000000	rgb(000,000,000)
(gris très foncé)		#333333	rgb(051,051,051)
(gris foncé)		#666666	rgb(102,102,102)
(gris moyen)		#999999	rgb(153,153,153)
(gris clair)		#cccccc	rgb(204,204,204)

TABLEAU A-9 Couleurs nommées de ton JAUNE

Nom en français	Nom HTML	Code hexadécimal	Code décimal
Jaune	yellow	#ffff00	rgb(255,255,000)
Jaune blanc Navajo	navajowhite	#fffead	rgb(255,222,173)
Jaune blé	wheat	#f5deb3	rgb(245,222,179)
Jaune clair	lightyellow	#f4ffe0	rgb(244,255,224)
Jaune doré	goldenrod	#daa520	rgb(218,165,032)

TABLEAU A-9 Couleurs nommées de ton JAUNE (suite)

Nom en français	Nom HTML	Code hexa-décimal	Code décimal
Jaune doré clair	lightgoldenrod yellow	#fafad2	rgb(250,250,210)
Jaune doré foncé	darkgoldenrod	#b8840b	rgb(184,132,011)
Jaune doré pâle	palegoldenrod	#eee8aa	rgb(238,232,170)
Jaune or	gold	#ffff00	rgb(255,255,000)

TABLEAU A-10 Couleurs nommées de ton ORANGE - CORAIL - SAUMON

Nom en français	Nom HTML	Code hexadécimal	Code décimal
Orange	orange	#ffa500	rgb(255,165,000)
Orange foncé	darkorange	#ff8c00	rgb(255,140,000)
Orangé	orangered	#ff4500	rgb(255,069,000)
Corail	coral	#ff7f50	rgb(255,127,080)
Corail clair	lightcoral	#f08080	rgb(240,128,128)
Saumon	salmon	#fa7872	rgb(250,120,114)
Saumon clair	lightsalmon	#ffa07a	rgb(255,160,122)
Saumon foncé	darksalmon	#e9967a	rgb(233,150,122)

TABLEAU A-11 Couleurs nommées de ton ROUGE

Nom en français	Nom HTML	Code hexadécimal	Code décimal
Rouge	red	#ff0000	rgb(255,000,000)
Rouge brique	firebrick	#b22222	rgb(178,034,034)
Rouge cramoisi	crimson	#dc143c	rgb(220,020,060)
Rouge foncé	darkred	#8b0000	rgb(139,000,000)
Rouge indien	indianred	#cd5c5c	rgb(205,092,092)
Rouge tomate	tomato	#ff6347	rgb(255,099,071)

TABLEAU A-12 Couleurs nommées de ton ROSE

Nom en français	Nom HTML	Code hexadécimal	Code décimal
Rose	pink	#ffc0cb	rgb(255,192,203)
Rose brumeux	mistyrose	#ffe4ff	rgb(255,228,255)
Rose clair	lightpink	#ffb6c1	rgb(255,182,193)
Rose passion	hotpink	#ff69b4	rgb(255,105,180)
Rose profond	deeppink	#ff1493	rgb(255,020,147)

TABLEAU A-13 Couleurs nommées de ton VIOLET - POURPRE - MAGENTA

Nom en français	Nom HTML	Code hexadécimal	Code décimal
Violet	violet	#ee82ee	rgb(238,130,238)
Violet bourbon	cornsilk	#ff30dc	rgb(255,048,220)
Violet chardon	thistle	#d8bfd8	rgb(216,191,216)
Violet foncé	darkviolet	#9400d3	rgb(148,000,211)
Violet fuchsia	fuchsia	#ff00ff	rgb(000,206,209)
Violet moyen	mediumvioletred	#c71585	rgb(199,021,133)
Violet orchidée	orchid	#da70d6	rgb(218,112,214)
Violet orchidée foncé	darkorchid	#9932cc	rgb(153,050,204)
Violet orchidée moyen	mediumorchid	#ba55d3	rgb(186,085,211)
Violet pâle	palevioletred	#db7093	rgb(219,112,147)
Violet prune	plum	#dda0dd	rgb(221,160,221)
Pourpre	purple	#800080	rgb(128,000,128)
Pourpre moyen	mediumpurple	#9370db	rgb(147,112,219)
Magenta	magenta	#ff00ff	rgb(255,000,255)
Magenta foncé	darkmagenta	#8b008b	rgb(139,000,139)

Tableau A-14 Couleurs nommées de ton VERT

Nom en français	Nom HTML	Code hexadécimal	Code décimal
Vert	green	#008000	rgb(000,128,000)
Vert Chartreuse	chartreuse	#7fff00	rgb(127,255,000)
Vert clair	lightgreen	#90ee90	rgb(144,238,144)
Vert eau marine	aquamarine	#7fffd4	rgb(127,255,212)
Vert eau marine moyen	mediumaquamarine	#66cdaa	rgb(102,205,170)
Vert forestier	forestgreen	#228b22	rgb(034,139,034)
Vert foncé	darkgreen	#006400	rgb(000,100,000)
Vert jaune	greenyellow	#adff2f	rgb(173,255,047)
Vert jauni	yellowgreen	#9acd32	rgb(154,205,050)
Vert marin	seagreen	#2e8b57	rgb(046,139,087)
Vert marin clair	lightseagreen	#20b2aa	rgb(032,178,170)
Vert marin foncé	darkseagreen	#8fbc8f	rgb(143,188,143)
Vert marin moyen	mediumseagreen	#3cb371	rgb(060,179,113)
Vert olive	olive	#808000	rgb(128,128,000)
Vert olive grise	olivedrab	#6b8e23	rgb(107,142,035)
Vert olive foncé	darkolivegreen	#556b2f	rgb(085,107,047)
Vert pâle	palegreen	#98fb98	rgb(152,251,152)
Vert pelouse	lawngreen	#7cfc00	rgb(124,252,000)
Vert Pressibus	pressibusgreen	#99cc99	rgb(153,204,153)
Vert printanier	springgreen	#00ff7f	rgb(000,255,127)
Vert printanier moyen	mediumspringgreen	#00fa9a	rgb(000,250,154)
Vert sarcelle	teal	#008080	rgb(000,128,128)
Vert tilleul clair	lime	#00ff00	rgb(000,255,000)
Vert tilleul foncé	limegreen	#32cd32	rgb(050,205,050)

Comportement des principaux navigateurs

Les balises XHTML et les propriétés
CSS ne sont pas entièrement
reconnues par les navigateurs.
En voici le détail.

Même si nous parlons correctement une langue étrangère, il reste des mots qui nous échappent. Cette liste de mots incompris sera plus ou moins longue, en fonction de notre degré de connaissance dans cette langue.

Eh bien, pour les navigateurs web, c'est pareil ! En gros, il comprennent ce qu'il leur est demandé d'afficher, mais dans les détails, ils peuvent avoir des lacunes... Et quand ces incompréhensions touchent des points fondamentaux, il nous arrive de drôles de surprises !

FIGURE B-1 *Parfois, certains mots nous échappent ; de même, certaines normes sont mal comprises par les navigateurs web.*

Les tableaux qui suivent donnent les détails de la compréhension des normes par trois des principaux navigateurs utilisés : Internet Explorer versions 6 et 7, Firefox 1.5 et Opera 8.5.

Ils sont le fruit de l'excellent et courageux travail de **David Hammond** (mentionnons son site : http://nanobox.chipx86.com) et peuvent être consultés à l'adresse : http://www.webdevout.net/browser_support.php. Encore ne s'agit-il que d'une synthèse, dont le détail est disponible sur le site www.webdevout.net.

Compréhension des balises HTML-XHTML

Ce premier tableau énumère les balises HTML-XHTML, avec leur niveau de compréhension par les différents navigateurs.

À part quelques soucis, notamment pour les tableaux et la balise <a>, les balises XHTML sont relativement bien comprises.

TABLEAU B–1 Compréhension des balises HTML-XHTML

Balises HTML-XHTML	IE 6	IE 7	Firefox 1.5	Opera 8.5
a	75 %	75 %	91 %	83 %
abbr	50 %	88 %	97 %	84 %
acronym	88 %	88 %	97 %	84 %
address	88 %	88 %	97 %	91 %
area	91 %	91 %	99 %	93 %
b	88 %	88 %	97 %	91 %
base	100 %	100 %	100 %	100 %
bdo	88 %	88 %	97 %	91 %
big	88 %	88 %	97 %	91 %
blockquote	80 %	80 %	98 %	83 %
body	92 %	92 %	98 %	94 %
br	88 %	88 %	94 %	94 %
button	82 %	82 %	99 %	93 %
caption	88 %	88 %	97 %	91 %
cite	88 %	88 %	97 %	91 %
code	88 %	88 %	97 %	91 %
col	68 %	68 %	75 %	70 %
colgroup	68 %	68 %	75 %	70 %
dd	88 %	88 %	97 %	91 %
del	75 %	75 %	98 %	77 %
dfn	88 %	88 %	97 %	91 %

TABLEAU B-1 Compréhension des balises HTML-XHTML (suite)

Balises HTML-XHTML	IE 6	IE 7	Firefox 1.5	Opera 8.5
div	88 %	88 %	97 %	91 %
dl	88 %	88 %	97 %	91 %
dt	88 %	88 %	97 %	91 %
em	88 %	88 %	97 %	91 %
fieldset	88 %	88 %	97 %	91 %
form	88 %	88 %	99 %	97 %
frame	85 %	85 %	88 %	88 %
frameset	96 %	96 %	98 %	92 %
h1	88 %	88 %	97 %	91 %
h2	88 %	88 %	97 %	91 %
h3	88 %	88 %	97 %	91 %
h4	88 %	88 %	97 %	91 %
h5	88 %	88 %	97 %	91 %
h6	88 %	88 %	97 %	91 %
head	67 %	67 %	83 %	83 %
hr	88 %	88 %	97 %	91 %
html	88 %	88 %	100 %	88 %
i	88 %	88 %	97 %	91 %
iframe	84 %	84 %	93 %	93 %
img	85 %	85 %	99 %	91 %
input	85 %	85 %	91 %	82 %
ins	75 %	75 %	98 %	77 %
kbd	88 %	88 %	97 %	91 %
label	75 %	75 %	86 %	95 %
legend	90 %	90 %	98 %	83 %
li	88 %	88 %	97 %	91 %
link	79 %	79 %	97 %	80 %

TABLEAU B-1 Compréhension des balises HTML-XHTML (suite)

Balises HTML-XHTML	IE 6	IE 7	Firefox 1.5	Opera 8.5
map	80 %	80 %	98 %	87 %
meta	96 %	96 %	96 %	96 %
noframes	50 %	50 %	97 %	88 %
noscript	63 %	63 %	97 %	75 %
object	69 %	70 %	85 %	88 %
ol	88 %	88 %	97 %	91 %
optgroup	69 %	71 %	93 %	73 %
option	70 %	78 %	82 %	74 %
p	88 %	88 %	97 %	91 %
param	92 %	92 %	100 %	100 %
pre	88 %	88 %	97 %	91 %
q	70 %	70 %	98 %	83 %
samp	88 %	88 %	97 %	91 %
script	100 %	100 %	90 %	80 %
select	86 %	88 %	99 %	89 %
small	88 %	88 %	97 %	91 %
span	88 %	88 %	97 %	91 %
strong	88 %	88 %	97 %	91 %
style	95 %	95 %	100 %	75 %
sub	88 %	88 %	97 %	91 %
sup	88 %	88 %	97 %	91 %
table	90 %	90 %	94 %	92 %
tbody	77 %	77 %	91 %	86 %
td	62 %	62 %	78 %	71 %
textarea	90 %	90 %	99 %	96 %
tfoot	77 %	77 %	91 %	86 %
th	62 %	62 %	78 %	71 %

TABLEAU B-1 Compréhension des balises HTML-XHTML (suite)

Balises HTML-XHTML	IE 6	IE 7	Firefox 1.5	Opera 8.5
thead	77 %	77 %	91 %	86 %
title	88 %	88 %	88 %	88 %
tr	77 %	77 %	91 %	86 %
tt	88 %	88 %	97 %	91 %
ul	88 %	88 %	97 %	91 %
var	88 %	88 %	97 %	91 %
Alignement des cellules	37 %	37 %	68 %	68 %

Interprétation des propriétés CSS 2.1

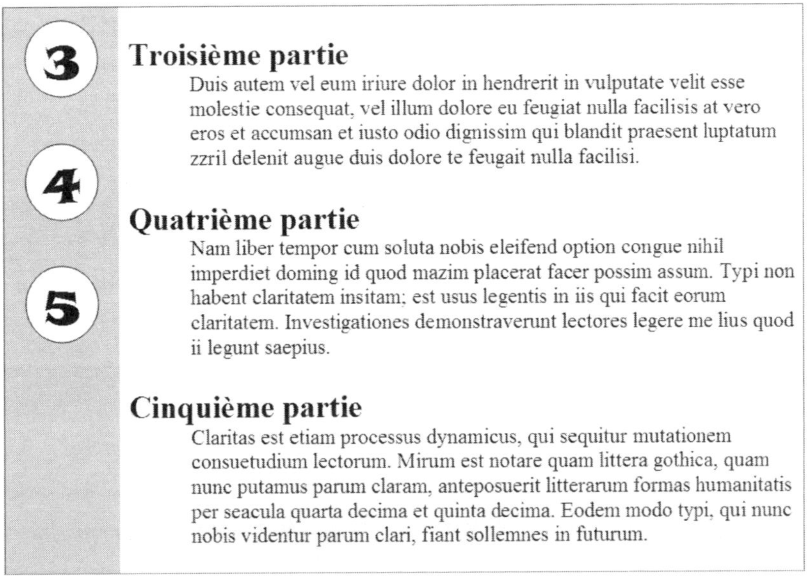

Troisième partie

Duis autem vel eum iriure dolor in hendrerit in vulputate velit esse molestie consequat, vel illum dolore eu feugiat nulla facilisis at vero eros et accumsan et iusto odio dignissim qui blandit praesent luptatum zzril delenit augue duis dolore te feugait nulla facilisi.

Quatrième partie

Nam liber tempor cum soluta nobis eleifend option congue nihil imperdiet doming id quod mazim placerat facer possim assum. Typi non habent claritatem insitam; est usus legentis in iis qui facit eorum claritatem. Investigationes demonstraverunt lectores legere me lius quod ii legunt saepius.

Cinquième partie

Claritas est etiam processus dynamicus, qui sequitur mutationem consuetudium lectorum. Mirum est notare quam littera gothica, quam nunc putamus parum claram, anteposuerit litterarum formas humanitatis per seacula quarta decima et quinta decima. Eodem modo typi, qui nunc nobis videntur parum clari, fiant sollemnes in futurum.

FIGURE B-2 *Certaines propriétés sont mal prises en compte, voire complètement igno-rées par certains navigateurs web. Il en résulte parfois un grand désordre dans la mise en page.*

Comme le montrent les tableaux qui suivent, plusieurs propriétés sont assez mal comprises, voire ignorées, par un ou plusieurs des navigateurs. Il est donc utile, avant d'utiliser une propriété, de savoir quelle chance elle a d'être correctement interprétée.

Unités

Tableau B-2 Prise en compte des unités CSS 2.1

Caractéristiques CSS 2.1	IE 6	IE 7	Firefox 1.5	Opera 8.5
Couleur	99 %	99 %	oui	97 %
Compteur	non	non	oui	incomplet
Entier	oui	oui	oui	oui
Longueur	oui	oui	oui	oui
Nombre	oui	oui	oui	oui
Pourcentage	oui	oui	oui	oui
Caractères	non	non	oui	oui
URI	oui	oui	oui	oui

Paramètre !important

Tableau B-3 Interprétation du paramètre !important

Caractéristiques CSS 2.1	IE 6	IE 7	Firefox 1.5	Opera 8.5
`!important`	incomplet	incomplet	oui	oui

Médias

Tableau B-4 Compréhension des différents types de médias

Caractéristiques CSS 2.1	IE 6	IE 7	Firefox 1.5	Opera 8.5
`@charset`	incomplet	incomplet	oui	oui
`@import`	incomplet	incomplet	oui	oui

TABLEAU B-4 Compréhension des différents types de médias

Caractéristiques CSS 2.1	IE 6	IE 7	Firefox 1.5	Opera 8.5
@media	incomplet	incomplet	oui	incomplet
@page	non	non	non	oui

Sélecteurs

TABLEAU B-5 Prise en compte des sélecteurs CSS 2.1

Caractéristiques CSS 2.1	IE 6	IE 7	Firefox 1.5	Opera 8.5
*	incomplet	incomplet	oui	incomplet
E	incomplet	incomplet	oui	oui
E F	incomplet	incomplet	oui	oui
E > F	non	incomplet	oui	oui
E + F	non	incomplet	oui	oui
[attr]	non	incomplet	oui	oui
[attr="valeur"]	non	incomplet	oui	incomplet
[attr~="valeur"]	non	incomplet	oui	incomplet
[attr|="valeur"]	non	incomplet	oui	incomplet
.class	incomplet	incomplet	oui	oui
#id	incomplet	incomplet	oui	oui

Pseudo-classes

TABLEAU B-6 Interprétation des pseudo-classes CSS 2.1

Caractéristiques CSS 2.1	IE 6	IE 7	Firefox 1.5	Opera 8.5
:active	incomplet	incomplet	oui	incomplet
:first-child	non	incomplet	incomplet	incomplet
:focus	non	non	oui	oui
:hover	incomplet	incomplet	oui	incomplet

Tableau B-6 Interprétation des pseudo-classes CSS 2.1 (suite)

Caractéristiques CSS 2.1	IE 6	IE 7	Firefox 1.5	Opera 8.5
`:lang(C)`	non	non	oui	oui
`:link`	incomplet	incomplet	oui	oui
`:visited`	incomplet	incomplet	oui	oui

Pseudo-éléments

Tableau B-7 Compréhension des pseudo-éléments CSS 2.1

Caractéristiques CSS 2.1	IE 6	IE 7	Firefox 1.5	Opera 8.5
`:after`	non	non	incomplet	incomplet
`:before`	non	non	incomplet	incomplet
`:first-letter`	incomplet	incomplet	incomplet	incomplet
`:first-line`	incomplet	incomplet	oui	oui

Propriétés

Tableau B-8 Prise en compte des propriétés CSS 2.1

Caractéristiques CSS 2.1	IE 6	IE 7	Firefox 1.5	Opera 8.5
`background`	70 %	79 %	oui	83 %
`background-attachment`	50 %	63 %	oui	88 %
`background-color`	62 %	62 %	oui	87 %
`background-image`	63 %	63 %	oui	88 %
`background-position`	85 %	85 %	oui	95 %
`background-repeat`	75 %	75 %	oui	92 %
`border`	58 %	58 %	oui	100 %
`border-bottom`	58 %	58 %	oui	100 %
`border-bottom-color`	50 %	50 %	oui	99 %

TABLEAU B-8 Prise en compte des propriétés CSS 2.1 (suite)

Caractéristiques CSS 2.1	IE 6	IE 7	Firefox 1.5	Opera 8.5
border-bottom-style	75 %	75 %	oui	oui
border-bottom-width	75 %	75 %	oui	oui
border-collapse	63 %	63 %	oui	oui
border-color	50 %	50 %	oui	99 %
border-left	58 %	58 %	oui	100 %
border-left-color	50 %	50 %	oui	99 %
border-left-style	75 %	75 %	oui	oui
border-left-width	75 %	75 %	oui	oui
border-right	58 %	58 %	oui	100 %
border-right-color	50 %	50 %	oui	99 %
border-right-style	75 %	75 %	oui	oui
border-right-width	75 %	75 %	oui	oui
border-spacing	non	non	oui	oui
border-style	75 %	75 %	oui	oui
border-top	58 %	58 %	oui	100 %
border-top-color	50 %	50 %	oui	99 %
border-top-style	75 %	75 %	oui	oui
border-top-width	75 %	75 %	oui	oui
border-width	75 %	75 %	oui	oui
bottom	70 %	70 %	oui	oui
caption-side	non	non	oui	88 %
clear	75 %	50 %	oui	oui
clip	non	non	oui	oui
color	50 %	50 %	oui	99 %
content	non	non	93 %	80 %
counter-increment	non	non	oui	90 %
counter-reset	non	non	oui	90 %

TABLEAU B-8 Prise en compte des propriétés CSS 2.1 (suite)

Caractéristiques CSS 2.1	IE 6	IE 7	Firefox 1.5	Opera 8.5
cursor	93 %	93 %	oui	93 %
direction	88 %	50 %	oui	oui
display	31 %	31 %	81 %	89 %
empty-cells	non	non	88 %	88 %
float	50 %	50 %	oui	oui
font	89 %	62 %	oui	oui
font-family	81 %	81 %	oui	oui
font-size	88 %	88 %	oui	oui
font-style	70 %	70 %	oui	oui
font-variant	63 %	38 %	oui	oui
font-weight	90 %	90 %	oui	oui
height	50 %	50 %	oui	oui
left	60 %	60 %	oui	oui
letter-spacing	63 %	63 %	oui	oui
line-height	75 %	75 %	oui	oui
list-style	70 %	70 %	oui	oui
list-style-image	63 %	63 %	oui	oui
list-style-position	63 %	63 %	oui	oui
list-style-type	56 %	56 %	oui	oui
margin-bottom	50 %	50 %	oui	90 %
margin-bottom	50 %	50 %	oui	90 %
margin-left	50 %	60 %	oui	oui
margin-right	50 %	60 %	oui	oui
margin-top	50 %	50 %	oui	oui
max-height	non	50 %	oui	oui
max-width	non	50 %	oui	oui
min-height	non	38 %	oui	88 %

Tableau B-8 Prise en compte des propriétés CSS 2.1 (suite)

Caractéristiques CSS 2.1	IE 6	IE 7	Firefox 1.5	Opera 8.5
min-width	non	38 %	oui	oui
outline	non	non	oui	100 %
outline-color	non	non	oui	99 %
outline-style	non	non	oui	oui
outline-width	non	non	oui	oui
overflow	42 %	50 %	92 %	oui
padding	50 %	50 %	oui	oui
padding-bottom	50 %	50 %	oui	oui
padding-left	50 %	50 %	oui	oui
padding-right	50 %	50 %	oui	oui
padding-top	50 %	50 %	oui	oui
position	50 %	58 %	oui	oui
quotes	non	non	oui	63 %
right	70 %	70 %	oui	oui
table-layout	63 %	63 %	oui	oui
text-align	75 %	42 %	oui	oui
text-decoration	64 %	36 %	93 %	93 %
text-indent	63 %	63 %	oui	oui
text-transform	75 %	42 %	oui	oui
top	70 %	70 %	oui	oui
unicode-bidi	70 %	70 %	oui	oui
vertical-align	46 %	46 %	58 %	oui
visibility	50 %	50 %	oui	90 %
white-space	50 %	50 %	71 %	86 %
width	40 %	50 %	oui	90 %
word-spacing	63 %	63 %	oui	oui
z-index	63 %	63 %	88 %	88 %

Paramètres d'impression

Tableau B-9 Compréhension des paramètres d'impression CSS 2.1

Caractéristiques CSS 2.1	IE 6	IE 7	Firefox 1.5	Opera 8.5
`orphans`	non	non	non	83 %
`page-break-after`	64 %	64 %	71 %	86 %
`page-break-before`	64 %	64 %	71 %	86 %
`page-break-inside`	non	non	non	oui
`widows`	non	non	non	83 %

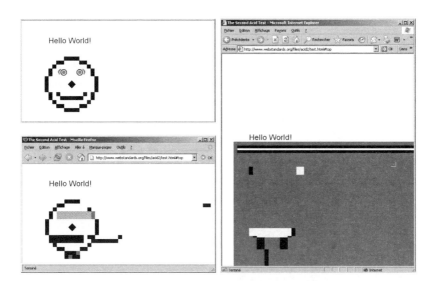

Figure B-3 Créé pour inciter les développeurs à mieux respecter les normes web, le test Acid2 (disponible à l'adresse http://www.webstandards.org/files/acid2/test.html) est une page web qui doit fournir la première image (en haut, à gauche). Firefox 1.5 affiche la fenêtre qui est en bas, à gauche, et Internet Explorer 6.0 celle de droite.

Résumé des propriétés CSS 2

Voici quelques pages qui pourront servir de référence, puisqu'elles résument les caractéristiques principales de chaque propriété.

Une fois habitué à l'utilisation des feuilles de style, vous aurez parfois besoin d'un petit rappel sur une propriété. Alors, voici un index bien pratique pour vous rafraîchir la mémoire.

Propriétés CSS 2

Ces tableaux ont été réalisés d'après une page du site www.yoyodesign.org, qui propose la traduction en français des normes du W3C, le World Wide Web Consortium : http://www.yoyodesign.org/doc/w3c/css2/propidx.html. La page web originale en anglais contenant ce tableau se trouve à l'adresse : http://www.w3.org/TR/REC-CSS2/propidx.html.

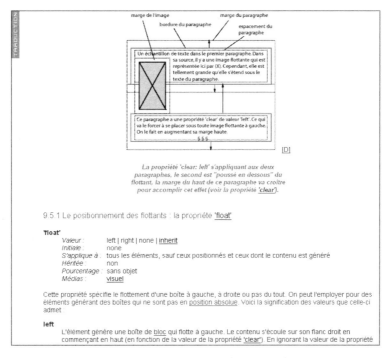

FIGURE C-1 *Pour plus de détails sur une propriété CSS, n'hésitez pas à consulter les documents du W3C, en français sur le site http://www.yoyodesign.org (table des matières à l'adresse : http://www.yoyodesign.org/doc/w3c/css2/cover.html).*

Propriétés d'affichage

TABLEAU C-1 Index des propriétés d'affichage CSS 2

Propriété	Fonction	Valeurs (H) si héritage	Valeur initiale	S'applique à (par défaut : tous éléments)	Pourcentage (si utilisé)
background	fond	[background-color || background-image || background-repeat || background-attachment || background-position] | inherit	voir chaque propriété		admis pour background-position
background-attachment	défilement image de fond	scroll | fixed | inherit	scroll		
background-color	couleur fond	<couleur> | transparent | inherit	transparent		
background-image	image de fond	<uri> | none | inherit	none		
background-position	position image de fond	[[<pourcentage> | <longueur>]{1,2} | [[top | center | bottom] || [left | center | right]]] | inherit	0 % 0 %	éléments de type bloc et remplacés	% de la taille de la boîte elle-même
background-repeat	répétition image de fond	repeat | repeat-x | repeat-y | no-repeat | inherit	repeat		
border	raccourci pour les bordures	[border-width || border-style || <couleur>] | inherit	voir chaque propriété		

TABLEAU C-1 Index des propriétés d'affichage CSS 2 (suite)

Propriété	Fonction	Valeurs (H) si héritage	Valeur initiale	S'applique à (par défaut : tous éléments)	Pourcen- tage (si utilisé)
border-collapse	fusion des bordures	collapse | separate | inherit (H)	collapse	éléments avec 'display: table' ou 'display: inline-table'	
border-color	couleur des bordures	<couleur>{1,4} | transparent | inherit	voir chaque propriété		
border-spacing	espace entre les bordures	<longueur> <longueur>? | inherit (H)	0	éléments avec 'display: table' ou 'display: inline-table'	
border-style	style de bordure	<bordure-style>{1,4} | inherit	voir chaque propriété		
border-top border-right border-bottom border-left	bordures sur les côtés	[border-top-width || border-style || <couleur>] | inherit	voir chaque propriété		

Tableau C-1 Index des propriétés d'affichage CSS 2 (suite)

Propriété	Fonction	Valeurs (H) si héritage	Valeur initiale	S'applique à (par défaut : tous éléments)	Pourcentage (si utilisé)
border-top-color border-right-color border-bottom-color border-left-color	couleur des bordures sur les côtés	<couleur> | inherit	la valeur de la propriété 'color'		
border-top-style border-right-style border-bottom-style border-left-style	style de bordure sur les côtés	<bordure-style> | inherit	none		
border-top-width border-right-width border-bottom-width border-left-width	épaisseur de bordures sur les côtés	<bordure-épaisseur> | inherit	medium		
border-width	épaisseur bordures	<bordure-épaisseur>{1,4} | inherit	voir chaque propriété		
bottom	position par rapport au bas	<longueur> | <pourcentage> | auto | inherit	auto	éléments positionnés	% de la hauteur du conteneur

Tableau C-1 Index des propriétés d'affichage CSS 2 (suite)

Propriété	Fonction	Valeurs (H) si héritage	Valeur initiale	S'applique à (par défaut : tous éléments)	Pourcentage (si utilisé)
caption-side	emplacement du titre (table)	top | bottom | left | right | inherit (H)	top	éléments avec 'display: table-caption'	
clear	pas de boîtes flottantes à côté	none | left | right | both | inherit	none	éléments de type bloc	
clip	zone visible	<forme> | auto | inherit	auto	éléments de type bloc et remplacés	
color	couleur de police	<couleur> | inherit (H)	selon navigateur		
content	contenu à ajouter	[<chaîne> | <uri> | <compteur> | attr(X) | open-quote | close-quote | no-open-quote | no-close-quote]+ | inherit	chaîne vide	pseudo-éléments :before et :after	
counter-increment	incrémentation de compteur	[<identifiant> <entier>?]+ | none | inherit	none		
counter-reset	remise à zéro de compteur	[<identifiant> <entier>?]+ | none | inherit	none		

Tableau C-1 Index des propriétés d'affichage CSS 2 (suite)

Propriété	Fonction	Valeurs (H) si héritage	Valeur initiale	S'applique à (par défaut : tous éléments)	Pourcentage (si utilisé)
cursor	type de curseur	[[<uri>,]* [auto	crosshair	default	pointer	move	e-resize	ne-resize	nw-resize	n-resize	se-resize	sw-resize	s-resize	w-resize	text	wait	help]]	inherit (H)	auto	(médias interactifs)	
direction	sens d'écriture	ltr	rtl	inherit (H)	ltr	tous les éléments	
display	mode d'affichage d'un élément	inline	block	list-item	run-in		inline-block	table	inline-table	table-row-group	table-header-group	table-footer-group	table-row	table-column-group	table-column	table-cell	table-caption	none	inherit	inline	(tous médias)	
empty-cells	bordure des cellules vides	show	hide	inherit (H)	show	éléments avec 'display: table-cell'	

TABLEAU C-1 Index des propriétés d'affichage CSS 2 (suite)

Propriété	Fonction	Valeurs (H) si héritage	Valeur initiale	S'applique à (par défaut : tous éléments)	Pourcentage (si utilisé)
float	transformation en bloc flottant	left | right | none | inherit	none	tous les éléments, sauf ceux positionnés ou avec un contenu généré	
font	raccourci pour les propriétés font...	[[font-style || font-variant || font-weight]? font-size [/ line-height]? font-family] | caption | icon | menu | message-box | small-caption | status-bar | inherit (H)	voir chaque propriété		admis pour font-size et line-height
font-family	police(s) de caractères	[[<famille-nom> | <famille-générique>],]* [<famille-nom> | <famille-générique>] | inherit (H)	selon l'agent utilisateur		
font-size	taille des caractères	<taille-absolue> | <taille-relative> | <longueur> | <pourcentage> | inherit (H)	medium		% de la taille de police du bloc parent

Tableau C–1 Index des propriétés d'affichage CSS 2 (suite)

Propriété	Fonction	Valeurs (H) si héritage	Valeur initiale	S'applique à (par défaut : tous éléments)	Pourcentage (si utilisé)
font-style	italique	normal | italic | oblique | inherit (H)	normal		
font-variant	petites majuscules	normal | small-caps | inherit (H)	normal		
font-weight	épaisseur d'écriture	normal | bold | bolder | lighter | 100 | 200 | 300 | 400 | 500 | 600 | 700 | 800 | 900 | inherit (H)	normal		
height	hauteur	<longueur> | <pourcentage> | auto | inherit	auto	tous les éléments, sauf en-ligne non remplacés et colonnes de tableau	voir explications
left	décalage à partir de la gauche	<longueur> | <pourcentage> | auto | inherit	auto	éléments positionnés	% de la largeur du bloc conteneur
letter-spacing	espacement des lettres	normal | <longueur> | inherit (H)	normal		

TABLEAU C–1 Index des propriétés d'affichage CSS 2 (suite)

Propriété	Fonction	Valeurs (H) si héritage	Valeur initiale	S'applique à (par défaut : tous éléments)	Pourcentage (si utilisé)
line-height	hauteur de ligne	normal | <nombre> | <longueur> | <pourcentage> | inherit (H)	normal		% de la taille de la police de l'élément lui-même
list-style	raccourci pour les propriétés list-style-...	[list-style-type || list-style-position || list-style-image] | inherit (H)	voir chaque propriété	éléments avec 'display: list-item'	
list-style-image	image à utiliser comme puce	<uri> | none | inherit (H)	none	éléments avec 'display: list-item'	
list-style-position	position de la puce	inside | outside | inherit (H)	outside	éléments avec 'display: list-item'	

Tableau C-1 Index des propriétés d'affichage CSS 2 (suite)

Propriété	Fonction	Valeurs (H) si héritage	Valeur initiale	S'applique à (par défaut : tous éléments)	Pourcentage (si utilisé)
list-style-type	type de puce ou de numérotation	disc | circle | square | decimal | decimal-leading-zero | lower-roman | upper-roman | lower-greek | lower-alpha | lower-latin | upper-alpha | upper-latin | hebrew | armenian | georgian | cjk-ideographic | hiragana | katakana | hiragana-iroha | katakana-iroha | none | inherit (H)	disc	éléments avec 'display: list-item'	
margin	raccourci pour les marges extérieures	<marge-largeur>{1,4} | inherit	voir chaque propriété		% de la largeur du bloc conteneur
margin-top margin-right margin-bottom margin-left	marges extérieures de chaque côté	<marge-largeur> | inherit	0		% de la largeur du bloc conteneur

TABLEAU C–1 Index des propriétés d'affichage CSS 2 (suite)

Propriété	Fonction	Valeurs (H) si héritage	Valeur initiale	S'applique à (par défaut : tous éléments)	Pourcentage (si utilisé)
`max-height`	hauteur maximum	\<longueur\> | \<pourcentage\> | none | inherit	none	tous éléments, sauf en-ligne non remplacés et éléments des tables	% de la largeur du bloc conteneur
`max-width`	largeur maximum	\<longueur\> | \<pourcentage\> | none | inherit	none	tous éléments, sauf en-ligne non remplacés et éléments des tables	% de la largeur du bloc conteneur
`min-height`	hauteur minimum	\<longueur\> | \<pourcentage\> | inherit	0	tous éléments, sauf en-ligne non remplacés et éléments des tables	% de la largeur du bloc conteneur

Tableau C-1 Index des propriétés d'affichage CSS 2 (suite)

Propriété	Fonction	Valeurs (H) si héritage	Valeur initiale	S'applique à (par défaut : tous éléments)	Pourcentage (si utilisé)
min-width	largeur minimum	`<longueur>	<pourcentage>	inherit`	selon le navigateur	tous éléments, sauf en-ligne non remplacés et éléments des tables	% de la largeur du bloc conteneur
outline	raccourci pour les propriétés outline-...	`[outline-color		outline-style		outline-width]	inherit`	voir chaque propriété		
outline-color	couleur contour boîtes	`<couleur>	invert	inherit`	invert		
outline-style	style contour boîtes	`<bordure-style>	inherit`	none		
outline-width	épaisseur contour boîtes	`<bordure-épaisseur>	inherit`	medium		
overflow	affichage des débordements	`visible	hidden	scroll	auto	inherit`	visible	ceux des éléments de type bloc et ceux remplacés	

TABLEAU C–1 Index des propriétés d'affichage CSS 2 (suite)

Propriété	Fonction	Valeurs (H) si héritage	Valeur initiale	S'applique à (par défaut : tous éléments)	Pourcentage (si utilisé)
padding	raccourci pour les propriétés padding...	<espacement-largeur>{1,4} | inherit	voir chaque propriété		% de la largeur du bloc conteneur
padding-top padding-right padding-bottom padding-left	marges intérieures de chaque côté	<espacement-largeur> | inherit	0		% de la largeur du bloc conteneur
position	type de positionnement	static | relative | absolute | fixed | inherit	static	tous les éléments, sauf ceux avec contenu généré	
quotes	caractères pour guillemets	[<chaîne> <chaîne>]+ | none | inherit (H)	selon navigateur		
right	décalage à partir de la droite	<longueur> | <pourcentage> | auto | inherit	auto	éléments positionnés	% de la largeur du bloc conteneur

Tableau C-1 Index des propriétés d'affichage CSS 2 (suite)

Propriété	Fonction	Valeurs (H) si héritage	Valeur initiale	S'applique à (par défaut : tous éléments)	Pourcentage (si utilisé)
`table-layout`	largeur des colonnes fixe ou variable	auto | fixed | inherit	auto	éléments avec 'display: table' ou 'display: inline-table'	
`text-align`	alignement horizontal du texte	left | right | center | justify | <chaîne> | inherit (H)	selon navigateur	éléments de type bloc	
`text-decoration`	souligné-barré-clignotant-...	none | [underline || overline || line-through || blink] | inherit	none		
`text-indent`	retrait de la première ligne	<longueur> | <pourcentage> | inherit (H)	0	éléments de type bloc	% de la largeur du bloc conteneur
`text-transform`	majuscules-minuscules	capitalize | uppercase | lowercase | none | inherit (H)	none		
`top`	décalage à partir du haut	<longueur> | <pourcentage> | auto | inherit	auto	éléments positionnés	% de la largeur du bloc conteneur

TABLEAU C-1 Index des propriétés d'affichage CSS 2 (suite)

Propriété	Fonction	Valeurs (H) si héritage	Valeur initiale	S'applique à (par défaut : tous éléments)	Pourcentage (si utilisé)
unicode-bidi	gestion du texte bidirectionnel	normal | embed | bidi-override | inherit	normal		
vertical-align	alignement ou décalage vertical	baseline | sub | super | top | text-top | middle | bottom | text-bottom | <pourcentage> | <longueur> | inherit	baseline	éléments de type en-ligne (décalage vertical) ou avec 'display: table-cell' (alignemt)	% de la valeur de line-height de l'élément lui-même
visibility	affichage de l'élément	visible | hidden | collapse | inherit | inherit	inherit		
white-space	conservation des espaces et des sauts de ligne	normal | pre | nowrap | inherit (H)	normal	éléments de type bloc	
width	largeur de l'élément	<longueur> | <pourcentage> | auto | inherit	auto	tous les éléments, sauf en-ligne non remplacés et rangées de tableau	% de la largeur du bloc conteneur

Tableau C-1 Index des propriétés d'affichage CSS 2 (suite)

Propriété	Fonction	Valeurs (H) si héritage	Valeur initiale	S'applique à (par défaut : tous éléments)	Pourcentage (si utilisé)
word-spacing	espacement entre les mots	normal | <longueur> | inherit (H)	normal		
z-index	ordre de superposition	auto | <entier> | inherit	auto	éléments positionnés	

Média paginé

TABLEAU C-2 Index des propriétés CSS 2 pour les médias paginés

Propriété	Fonction	Valeurs (H) si héritage	Valeur initiale	S'applique à
orphans	orphelines	`<entier>`	inherit (H)	2	éléments de type bloc
page	choix de la page destination	`<identifiant>`	auto (H)	auto	éléments de type bloc
page-break-after	saut de page après	auto | always | avoid | left | right | inherit	auto	éléments de type bloc
page-break-before	saut de page avant	auto | always | avoid | left | right | inherit	auto	éléments de type bloc
page-break-inside	autorisation saut de page	avoid | auto | inherit (H)	auto	éléments de type bloc
size	portrait-paysage / taille	`<longueur>`{1,2} | auto | portrait | landscape | inherit	auto	dans un contexte de page
widows	veuve	`<entier>` | inherit (H)	2	éléments de type bloc

Média sonore

Tableau C-3 Index des propriétés CSS 2 pour les médias sonores

Propriété	Fonction	Valeurs (H) si héritage	Valeur initiale	S'applique à (par défaut : tous éléments)
azimuth	angle horizontal de l'origine du son	<angle> | [[left-side | far-left | left | center-left | center | center-right | right | far-right | right-side] || behind] | leftwards | rightwards | inherit (H)	center	
cue	raccourci pour cue-...	[cue-before || cue-after] | inherit	voir chaque propriété	
cue-after	son après	<uri> | none | inherit	none	
cue-before	son avant	<uri> | none | inherit	none	
elevation	angle vertical de l'origine du son	<angle> | below | level | above | higher | lower | inherit (H)	level	
pause	raccourci pour pause-...	[[<durée> | <pourcentage>]{1,2}] | inherit	selon agent utilisateur	
pause-after	pause après	<durée> | <pourcentage> | inherit	selon agent utilisateur	

TABLEAU C-3 Index des propriétés CSS 2 pour les médias sonores (suite)

Propriété	Fonction	Valeurs (H) si héritage	Valeur initiale	S'applique à (par défaut : tous éléments)
pause-before	pause avant	`<durée>` | `<pourcentage>` | inherit	selon agent utilisateur	
pitch	fréquence moyenne	`<fréquence>` | x-low | low | medium | high | x-high | inherit (H)	medium	
pitch-range	étendue des tonalités	`<nombre>` | inherit (H)	50	
play-during	diffusion d'un son pendant	`<uri>` mix? repeat? | auto | none | inherit	auto	
speak	style de lecture	normal | none | spell-out | inherit (H)	normal	
speak-header	lecture des en-têtes de tableaux	once | always | inherit (H)	once	éléments contenant une information d'en-tête
speak-numeral	lecture des nombres	digits | continuous | inherit (H)	continuous	

TABLEAU C-3 Index des propriétés CSS 2 pour les médias sonores (suite)

Propriété	Fonction	Valeurs (H) si héritage	Valeur initiale	S'applique à (par défaut : tous éléments)
speak-punctuation	lecture des ponctuations	code | none | inherit (H)	none	
speech-rate	vitesse de lecture	<nombre> | x-slow | slow | medium | fast | x-fast | faster | slower | inherit (H)	medium	
stress	étendue des tons	<nombre> | inherit (H)	50	
richness	clarté de la voix (portée)	<nombre> | inherit (H)	50	
voice-family	type de voix à utiliser	[[<voix-spécifique> | <voix-générique>],]* [<voix-spécifique> | <voix-générique>] | inherit (H)	selon agent utilisateur	
volume	volume moyen du son	<nombre> | <pourcentage> | silent | x-soft | soft | medium | loud | x-loud | inherit (H)	medium	

Propriétés classées par catégories

Quelles sont les propriétés CSS disponibles dans un paragraphe, dans un tableau, pour une liste ? L'index précédent classait les propriétés par ordre alphabétique.

Voici à présent les noms seuls des principales propriétés, mais celles-ci sont regroupées par catégories d'utilisation.

Caractères

```
background-color,
color,
font,
font-family,
font-size,
font-style,
font-variant,
font-weight,
text-decoration,
text-transform,
vertical-align
```

Mots, paragraphes et blocs de texte

```
background,
background-attachment, background-color,
background-image, background-position,
background-repeat,

border,
border-top, border-right, border-bottom, border-left,
border-color,
border-top-color, border-right-color,
border-bottom-color, border-left-color,
border-spacing,
border-style,
border-top-style, border-right-style,
border-bottom-style, border-left-style,
border-width,
border-top-width, border-right-width,
```

```
border-bottom-width, border-left-width,

outline,
outline-color, outline-style, outline-width,

margin,
margin-top, margin-right, margin-bottom, margin-left,

height, width,
max-height, max-width, min-height, min-width,

padding,
padding-top, padding-right,
padding-bottom, padding-left,

text-align, text-indent,
line-height, letter-spacing, word-spacing,
white-space,

content, quotes,
counter-increment, counter-reset,
direction, unicode-bidi, cursor
```

Listes à puces ou à numéros

```
list-style,
list-style-image,
list-style-position,
list-style-type
```

Tableaux

```
border-collapse,
border-spacing,
caption-side,
empty-cells,
table-layout,
text-align,
vertical-align
```

Positionnement

```
display, visibility,
float,
position,
top, bottom,
right, left,
clear, clip,
overflow,
z-index
```

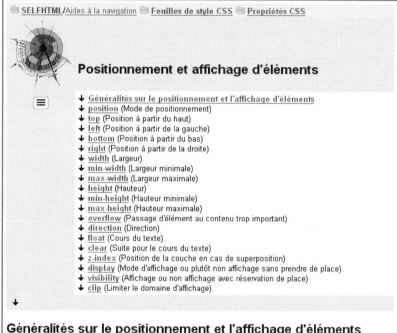

FIGURE C-2 *Extrait de la page http://fr.selfhtml.org/css/proprietes/positionnement.htm.
Le site SelfHTML est une source d'information très complète pour le concepteur web.*

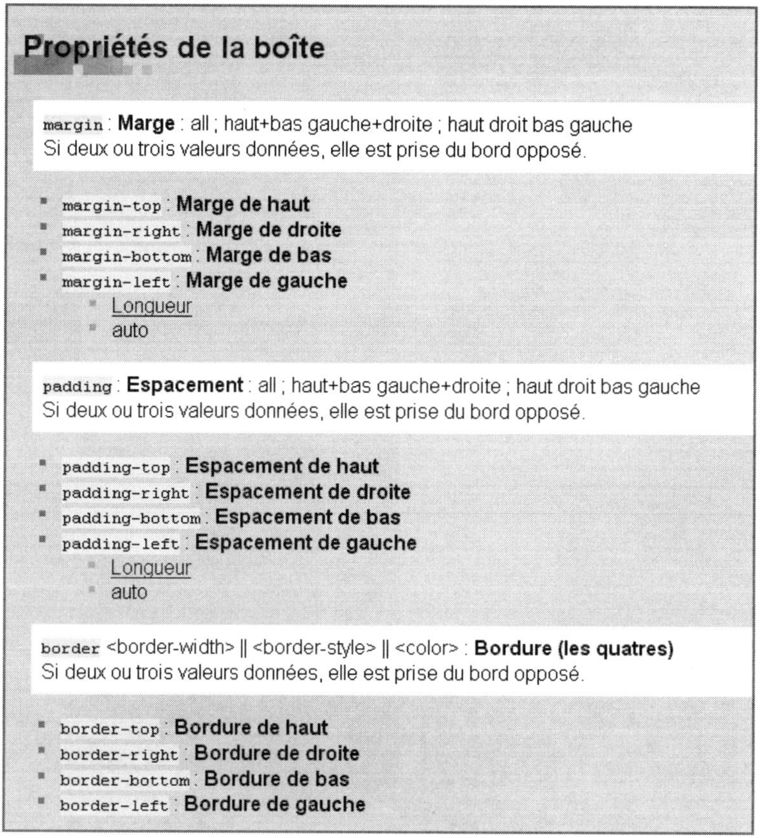

Propriétés de la boîte

`margin` : **Marge** : all ; haut+bas gauche+droite ; haut droit bas gauche
Si deux ou trois valeurs données, elle est prise du bord opposé.

- `margin-top` : **Marge de haut**
- `margin-right` : **Marge de droite**
- `margin-bottom` : **Marge de bas**
- `margin-left` : **Marge de gauche**
  - Longueur
  - auto

`padding` : **Espacement** : all ; haut+bas gauche+droite ; haut droit bas gauche
Si deux ou trois valeurs données, elle est prise du bord opposé.

- `padding-top` : **Espacement de haut**
- `padding-right` : **Espacement de droite**
- `padding-bottom` : **Espacement de bas**
- `padding-left` : **Espacement de gauche**
  - Longueur
  - auto

`border` <border-width> ‖ <border-style> ‖ <color> : **Bordure (les quatres)**
Si deux ou trois valeurs données, elle est prise du bord opposé.

- `border-top` : **Bordure de haut**
- `border-right` : **Bordure de droite**
- `border-bottom` : **Bordure de bas**
- `border-left` : **Bordure de gauche**

FIGURE C-3 *Extrait de la page http://slaout.linux62.org/html_css/doc_css.html, qui propose des tutoriels et aide-mémoire sur le HTML et les CSS.*

Références bibliographiques et sites web

Voici maintenant quelques références pour compléter cet ouvrage et aller plus loin, ainsi que des sites web intéressants.

L'objectif de cet ouvrage était la présentation des feuilles de style Internet et leur mise en pratique. Une fois que vous aurez compris la philosophie des CSS, il pourra continuer à vous servir d'aide-mémoire.

Pour aller plus loin, n'hésitez pas à consulter des ouvrages plus volumineux, qui vous présenteront en détail un certain nombre de cas concrets d'application.

Bibliographie

Voici une liste d'ouvrages qui sont actuellement des références en matière de feuilles de style web :

- *CSS 2 Pratique du design Web*, de Raphaël Goetter, éditions Eyrolles
- *CSS Précis et concis*, d'Éric Meyer, éditions O'Reilly
- *Memento CSS*, de Raphaël Goetter, éditions Eyrolles
- *XHTML et CSS*, cours et exercices, de Jean Engels, éditions Eyrolles
- *XML, XHTML, CSS : Utiliser les standards du Web*, de Jeffrey Zeldman, éditions Eyrolles
- *CSS par Éric Meyer*, d'Éric Meyer, éditions Campus Press
- *CSS La référence*, d'Éric Meyer, éditions O'Reilly
- *CSS 2, Guide du designer*, de Charles Wike-Smith, éditions Campus Press
- *Des CSS au DHTML : Javascript appliqué aux feuilles de style*, de Luc Van Lancker, éditions ENI

Sites web utiles

Les quelques sites web qui suivent sont très intéressants. Vous pourrez y glaner d'autres informations, applications pratiques et astuces. Cette liste n'est évidemment pas exhaustive, c'est un aperçu des trésors de la toile...

- World Wide Web Consortium (normes web)
  http://www.w3c.org
- Spécifications officielles des CSS 2.1 en anglais, par le W3C
  http://www.w3.org/TR/CSS21/indexlist.html

- Spécifications officielles du CSS 2, traduites en français
  http://www.yoyodesign.org/doc/w3c/css2/indexlist.html
- OpenWeb
  http://openweb.eu.org/css/
- Pompage : le Web design puisé à la source, sur
  http://pompage.net/
- CSS : On reprend tout à zéro !
  http://pompage.net/pompe/cssdezero-1/
- SelfHTML
  http://fr.selfhtml.org/
- SelfHTML : Javascript
  http://fr.selfhtml.org/javascript/index.htm
- Alsacréations
  http://www.alsacreations.com
- Forum d'Alsacréations
  http://forum.alsacreations.com
- Tutoriel HTML et CSS
  http://slaout.linux62.org/html_css/
- Aidenet
  http://www.aidenet.com
- Feuilles de style sur Aidenet
  http://www.aidenet.com/css/index.htm
- Framasoft (logiciels et documentation)
  http://www.framasoft.net
- Zen Garden (démonstration très esthétique des possibilités apportées
  par les feuilles de style)
  http://csszengarden.com/tr/francais

FIGURE 4-1 *Extrait du site http://www.framasoft.net, communauté francophone du logiciel libre, qui recense et commente plus de mille programmes, propose des liens pour leur téléchargement, des tutoriels ainsi que des forums de discussion.*

Index

C

caption-side 94
caractères
    background-color 66
    color 62
    décalage vertical 66
    font 67
    font-family 60
    font-size 61
    font-style 64
    font-variant 65
    font-weight 63
    majuscules / minuscules 65
    mise en forme 60
    petites majuscules 65
    soulignement 64
    surlignage 66
    text-decoration 64
    text-transform 65
    vertical-align 66
centrage
    horizontal 130
    vertical 130
clear 116
clip 118
codage utf-8 16
color 62
commentaires
    CSS 29
    XHTML/HTML 14
compteur automatique
    content 73
    counter-increment 76
    counter-reset 75
content 73
couleurs
    arrière-plan 84
    code RVB 53
    couleurs sûres 53
    du texte 62
    les 16 couleurs de base 160
    noms 52, 162
    sûres 161
    utilisation 5
curseur de la souris 73
cursor 73

D

décalage vertical 66
dimension *voir* bloc
direction (sens de l'écriture) 76
display 119
doctype 15

E

éléments HTML/XHTML
    voir balise HTML/XHTML
empty-cells 93
en-tête 17
espacement
    conservation des espacements 72
    entre les lettres 71
    entre les lignes 70
    entre les mots 71
    espace insécable 14

F

feuille de style
    commentaires 29
    exemple 54
    feuille de style externe 30
    feuille de style interne 30
    hiérarchie 44
    intérêt 6
    introduction 1
    priorité des règles 47
    règle de style 28
    sélecteur 33
    style en ligne 32
fixed (position) 114, 126
float 116, 128
flux normal des éléments 109
font 67
font-family 60
font-size 61
font-style 64
font-variant 65
font-weight 63

G

gras 63
guillemets automatiques
    affichage 73

Achevé d'imprimer : Jouve, Paris
N° d'éditeur : 7493
N° d'imprimeur : 405818A
Dépôt légal : août 2006
Imprimé en France